Petits plats
à la mijoteuse

D1444947

Édition originale

Cet ouvrage a été publié pour la première fois par Murdoch Books Pty Limited, Australie
sous le titre : *Slow cookers*.

Textes, maquette et photographies © Murdoch Books

Édition française

Direction éditoriale : Véronique de Finance-Cordonnier
Édition : Marion Pipart
Traduction : Christine Chareyre
Direction artistique : Emmanuel Chaspoul
Mise en page : Black and White
Lecture-Correction : Madeleine Biaujeaud et Joëlle Narjollet
Couverture : Véronique Laporte
Fabrication : Annie Botrel

L'éditeur remercie Magali Marquet pour son aide.

© Larousse 2010, pour l'édition française
ISBN : 978-2-03-585099-7

Petits plats
à la mijoteuse

LAROUSSE

21 rue du Montparnasse 75283 Paris Cedex 06

SOMMAIRE

DÉLICIEUX PLATS MIJOTÉS

Les modes vont et viennent, et le matériel culinaire n'échappe pas
à cette frénésie. Des ouvre-boîtes aux sorbetières, en passant par les machines
à pain et les plats à tajine : à chaque situation son propre ustensile.
Mais combien d'entre nous se sont laissé séduire par le dernier gadget en vogue,
avant de découvrir qu'il prenait une place inconsidérée dans notre placard
et que son nettoyage était terriblement fastidieux ? Il reste que certains d'entre
eux nous sont devenus indispensables. C'est le cas des robots, blenders
et batteurs électriques, sans lesquels nous ne pourrions plus concevoir de faire
la cuisine, tant ils facilitent la tâche. Les mijoteuses comptent elles aussi parmi
ces aides culinaires dont nous aurions désormais du mal à nous passer.
Apparues dans les années 1960, elles ont toujours eu leurs fidèles
et elles suscitent de plus en plus d'engouement, pour les économies
de temps et d'argent qu'elles représentent.

Les mijoteuses ne manquent pas d'atouts. Elles mettent à profit la saveur
des aliments (notamment les morceaux de viande un peu fermes), qui deviennent
délicieusement moelleux à la simple pression d'un bouton. Elles peuvent être
placées n'importe où, elles consomment moins d'électricité que les cuisinières,
et leur entretien se réduit à celui de la cocotte dans laquelle mijotent
les ingrédients. N'exigeant aucune intervention particulière de votre part,
la cuisson ne réserve en outre jamais de mauvaise surprise : pas de risque
de brûler les aliments, le temps de cuisson n'étant pas déterminant à la seconde
près. La mijoteuse prend tout en charge pour vous et restitue les saveurs
dans leur intégralité.

Soupes réconfortantes, plats conviviaux, sophistiqués ou préparations
aux accents exotiques : le plus difficile, pour vous, sera sans doute de choisir
la recette que vous préparerez dans votre mijoteuse.

Une mijoteuse se compose d'une cocotte en céramique ou en porcelaine de forme ronde ou ovale, entourée d'une coque en métal renfermant une résistance commandée par un thermostat. Elle est fermée par un couvercle, souvent transparent, qui permet de jeter un coup d'œil à la cuisson. Les recettes de ce livre ont été réalisées avec une mijoteuse de 4,5 litres, mais différentes capacités, allant jusqu'à 7 litres, sont proposées dans le commerce. Précisons enfin que, pour réussir vos préparations, il est conseillé de remplir la mijoteuse au moins à moitié, de préférence aux trois quarts (consultez le mode d'emploi à ce sujet).

Le thermostat comporte généralement trois positions, correspondant à « chaleur douce », « chaleur moyenne » et « chaleur vive ». La chaleur douce équivaut à 80 °C, la chaleur vive à 90 °C. La chaleur moyenne associe les deux températures : la cuisson s'effectue pendant environ 1 heure à chaleur vive, et se poursuit automatiquement à chaleur douce. En règle générale, le temps de cuisson, qui peut varier de 3 à 12 heures, est deux fois plus long à chaleur douce que vive, et vous pouvez le raccourcir ou le rallonger à votre guise.

Lorsque vous utilisez votre mijoteuse, votre seul travail se résume à préparer et couper les ingrédients, mouiller le tout avec un liquide (eau, vin ou bouillon) et allumer l'appareil. Vous laissez ensuite le contenu mijoter jusqu'à la fin de la cuisson. Vous pouvez mettre l'appareil en marche avant de partir au travail, le matin – le repas sera prêt le soir, à votre retour –, ou avant de vous coucher. Le liquide dans lequel mijotent les aliments attendrit à merveille des morceaux de viande fermes comme le bœuf à braiser, le jarret de veau ou d'agneau et la poitrine de porc, riches en tissu conjonctif. La cuisson longue et douce transforme celui-ci en gélatine, dévoilant le fondant de la viande. Mais prenez soin de dégraisser la viande au préalable, la graisse ayant tendance à s'accumuler à la surface du jus de cuisson.

La cuisson dans une mijoteuse nécessite moins de liquide que dans une cocotte ordinaire sur la cuisinière ou dans le four, car il ne s'évapore pas. Beaucoup d'aliments, y compris certaines viandes, libèrent du jus pendant la cuisson (jusqu'à 25 cl par recette), tenez-en compte si la quantité de liquide indiquée vous paraît insuffisante, ou si vous adaptez une recette pour la mijoteuse (dans ce cas, réduisez la quantité conseillée de 50 %). Évitez de soulever le couvercle pendant la cuisson, surtout au début, car la mijoteuse met un certain temps à chauffer ; laissez-le pendant toute la durée de la cuisson, sauf mention contraire – pour laisser épaissir une sauce, par exemple. Si vous devez ôter le couvercle pour remuer les ingrédients ou pour vérifier la cuisson, replacez-le aussitôt afin d'éviter une trop grande déperdition de chaleur.

Bien que les pièces de viande fermes nécessitent une cuisson longue pour s'attendrir et donner le meilleur d'elles-mêmes, évitez de trop les cuire, afin de préserver la tenue de la chair. Veillez donc à respecter les temps de cuisson indiqués dans les recettes ; ces temps peuvent toutefois varier selon la marque et la taille de l'appareil utilisé. Par ailleurs, quelques minutes de plus ou de moins n'étant pas déterminantes pour la réussite des préparations, nous avons arrondi les temps au quart d'heure supérieur.

Dans la plupart des recettes, tous les ingrédients sont réunis dans la mijoteuse au départ. Mais dans certaines, la viande – porc, bœuf ou agneau – est dorée dans une poêle avant d'être placée dans la mijoteuse. En effet, la viande saisie à environ 100 °C gagne en saveur ; or, cette température ne peut être atteinte dans une mijoteuse. Certaines des recettes proposées au chapitre « Repas entre amis » comprennent cette étape, mais libre à vous de l'inclure dans les autres recettes de viande.

Les légumes croquants comme les racines exigent un temps de cuisson long ; coupez-les menu et placez-les au fond de la cocotte ou sur les parois, où la température est légèrement plus élevée. Une cuisson longue prive les légumes verts de certaines substances nutritives : blanchissez-les au besoin, puis ajoutez-les dans la mijoteuse en fin de cuisson pour les réchauffer. Incorporez également les poissons, fruits de mer et produits laitiers en fin de cuisson.

HYGIÈNE ALIMENTAIRE

Lorsqu'elles sont apparues sur le marché, les mijoteuses ont suscité des controverses, certains se demandant si les bactéries toxiques présentes dans des aliments comme la viande pouvaient être éliminées pendant la cuisson dans une mijoteuse. Mais, les bactéries étant tuées vers 68 °C, l'emploi d'une mijoteuse ne présente aucun danger. Une règle s'impose toutefois à ce propos : ne placez jamais dans la mijoteuse une viande encore congelée, ou décongelée en partie seulement, le changement de température provoquant la prolifération des bactéries. Prenez soin de décongeler complètement la viande avant la cuisson. Par ailleurs, n'utilisez jamais la cocotte en céramique à la sortie du congélateur ou du réfrigérateur, le changement de température risquant de provoquer des craquelures.

Autre recommandation : les haricots secs, rouges ou blancs, ne doivent pas être cuits crus dans une mijoteuse, la température n'étant pas suffisamment élevée pour détruire les toxines qu'ils renferment à l'état naturel. Faites-les bouillir pendant 10 minutes au préalable. Cette règle ne s'impose pas dans le cas des haricots en conserve. Pour préparer des haricots secs, faites-les tremper dans l'eau pendant au moins 5 heures, si possible toute la nuit. Jetez l'eau, puis faites cuire les haricots 10 minutes à gros bouillons dans de l'eau fraîche pour éliminer les toxines.

Enfin, lisez attentivement le mode d'emploi du fabricant pour tirer profit au mieux de votre mijoteuse.

SOUPES

SOUPE À L'OIGNON

POUR **4 personnes**
PRÉPARATION : **20 min**
CUISSON : **6 h**

> 20 g de beurre
> 1 cuill. à soupe d'huile d'olive
> 1 kg d'oignons jaunes
finement émincés
> 25 cl de vin blanc sec
> 2 cuill. à soupe de cognac
(facultatif)
> 75 cl de bouillon de bœuf
> 4 branches de thym
> 2 cuill. à soupe de persil plat
finement ciselé
> sel et poivre noir du moulin

Mettez le beurre, l'huile d'olive et les oignons dans la mijoteuse. Faites cuire pendant 4 heures à chaleur douce, en remuant de temps à autre.

Versez le vin blanc, le cognac (éventuellement), le bouillon de bœuf, 25 cl d'eau et parfumez avec le thym. Poursuivez la cuisson pendant 2 heures à chaleur vive. Salez et poivrez, puis décorez de persil avant de servir la soupe avec du pain.

POTAGE AUX POIREAUX ET AUX POMMES DE TERRE

POUR **4 personnes**
PRÉPARATION : **10 min**
CUISSON : **3 h**

> 4 pommes de terre coupées
en gros morceaux
> 2 blancs de poireau
finement émincés
> 2 branches de céleri hachées
> 1 carotte coupée en rondelles
> 2 tranches de jambon sec
hachées grossièrement
> 50 cl de bouillon de volaille
ou de légumes
> crème fraîche liquide
> sel et poivre noir du moulin

Réunissez dans la mijoteuse les morceaux de pomme de terre, les blancs de poireau, le céleri, les rondelles de carotte et le jambon sec. Versez le bouillon et 50 cl d'eau, puis faites cuire pendant 3 heures à chaleur vive.

Réduisez la soupe en purée à l'aide d'un mixeur plongeant ou d'un robot. Salez et poivrez, puis servez le potage, dans des bols individuels, arrosé de crème fraîche liquide.

CRÈME DE CHAMPIGNON

POUR **4 personnes**
PRÉPARATION : **20 min**
TREMPAGE : **20 min**
CUISSON : **2 h**

> 10 g de cèpes séchés
> 1 blanc de poireau
finement émincé
> 100 g de lardons
> 500 g de champignons de Paris
hachés grossièrement
> 10 cl de madère (voir NOTE)
> 1 l de bouillon de volaille
(ou de légumes)
> 2 cuill. à café de marjolaine hachée
> 90 g de crème fraîche
> feuilles de marjolaine

Faites tremper les cèpes pendant 20 minutes dans
25 cl d'eau bouillante. Égouttez-les, en réservant le liquide.

Mettez les cèpes dans la mijoteuse avec le liquide
de trempage, le blanc de poireau émincé, les lardons,
les champignons hachés, le madère, le bouillon et la moitié
de la marjolaine. Faites cuire pendant 2 heures à chaleur vive.

Réduisez la soupe en purée à l'aide d'un mixeur plongeant
ou d'un robot, puis versez-la dans la mijoteuse.

Ajoutez la crème fraîche et laissez chauffer encore 5 minutes.
Mélangez le reste de marjolaine hachée. Décorez de feuilles
de marjolaine avant de servir la soupe avec du pain.

NOTE : le madère est un vin doux fabriqué à Madère,
île portugaise, au large des côtes marocaines. On distingue
différents types de madère, dont le *malmsey*, qui est
particulièrement sucré et généreux. Riche et fruité,
il est parfois servi en digestif. Il peut être remplacé par
du xérès.

SOUPE DE LÉGUMES AU FROMAGE

POUR **4 personnes**
PRÉPARATION : **15 min**
CUISSON : **3 ou 4 h**

> 2 pommes de terre (environ 250 g) coupées en dés
> 2 courgettes coupées en dés
> 1 carotte coupée en dés
> 1 branche de céleri coupée en dés
> 3 oignons blancs finement hachés
> 1 l de bouillon de volaille ou de légumes
> 425 g de maïs réduit en purée
> 125 g de gruyère râpé
> 2 cuill. à soupe de persil plat finement ciselé
> sel et poivre noir du moulin

Mettez les pommes de terre, les courgettes, la carotte, le céleri et les oignons dans la mijoteuse. Ajoutez le bouillon, salez et poivrez. Faites cuire pendant 3 ou 4 heures à chaleur vive, jusqu'à ce que les légumes soient tendres.

Ajoutez-y en mélangeant la purée de maïs, le gruyère et le persil. Salez et poivrez à nouveau. Attendez que le fromage commence à fondre et servez la soupe bien chaude.

NOTE : vous pouvez agrémenter cette soupe de lamelles de poulet grillé ou de jambon haché en fin de cuisson.

VELOUTÉ DE CHOU-FLEUR AUX AMANDES

POUR **4 personnes**
PRÉPARATION : **20 min**
CUISSON : **3 h**

> 1 gros blanc de poireau émincé
> 2 gousses d'ail pilées
> 1 kg de chou-fleur détaillé en bouquets
> 2 pommes de terre (environ 370 g) coupées en dés
> 1,5 l de bouillon de volaille
> 75 g d'amandes mondées et hachées
> 20 g de ciboulette ciselée
> crème fraîche liquide
> sel et poivre noir du moulin

Réunissez le blanc de poireau, l'ail, les bouquets de chou-fleur, les dés de pomme de terre et le bouillon de volaille dans la mijoteuse. Faites cuire pendant 3 heures à chaleur vive, jusqu'à ce que le chou-fleur et les pommes de terre soient tendres.

Réduisez la soupe en purée, avec les amandes, à l'aide d'un mixeur plongeant ou d'un robot. Mélangez la moitié de la ciboulette, salez et poivrez.

Servez le velouté de chou-fleur aux amandes arrosé de crème liquide et parsemé du reste de ciboulette, dans des bols individuels.

NOTE : ce velouté a tendance à épaissir ; allongez-le éventuellement avec un peu de bouillon.

CALDO VERDE

POUR **4 personnes**
PRÉPARATION : **15 min**
CUISSON : **4 h**

> 6 pommes de terre coupées
en morceaux
> 1 oignon rouge haché
> 2 gousses d'ail écrasées
> 75 cl de bouillon de légumes
> 4 cuill. à soupe d'huile d'olive
> 1 chorizo coupé en dés
(environ 180 g)
> 500 g de bettes (ou de chou frisé)
finement émincées
> sel et poivre noir du moulin

Mettez les morceaux de pomme de terre, l'oignon haché, l'ail écrasé, le bouillon et l'huile d'olive dans la mijoteuse. Faites cuire pendant 3 heures à chaleur vive, jusqu'à ce que les pommes de terre soient tendres.

Réduisez la soupe en purée à l'aide d'un mixeur plongeant ou d'un robot. Remettez-la dans la mijoteuse avec les dés de chorizo, les bettes ou le chou, puis poursuivez la cuisson pendant 1 heure à chaleur douce. Salez et poivrez.

NOTE : le caldo verde est le plat national portugais, qu'on accompagne de pain, de maïs et de vin rouge.

POTAGE DE COURGE

POUR **4 personnes**
PRÉPARATION : **15 min**
CUISSON : **3 h**

> 1,25 kg de chair de courge
épépinée et coupée en morceaux
> 1 pomme de terre coupée
en morceaux
> 1 oignon haché
> 1 carotte coupée en dés
> 2 cuill. à café de cumin en poudre
> 1 cuill. à café de muscade râpée
> 75 cl de bouillon de volaille
ou de légumes
> 4 cuill. à soupe de crème liquide
> 1 cuill. à soupe de persil plat ciselé
pour le décor
> sel et poivre noir du moulin

Mettez les morceaux de courge et de pomme de terre, l'oignon haché et les dés de carotte dans la mijoteuse. Ajoutez le cumin et la muscade, puis salez et poivrez. Remuez pour enrober les légumes d'épices, puis versez le bouillon. Faites cuire pendant 3 heures à chaleur vive, jusqu'à ce que la courge soit tendre.

Réduisez la soupe en purée à l'aide d'un mixeur plongeant ou d'un robot. Arrosez le potage de crème et décorez de persil avant de servir.

NOTE : si vous en trouvez, préférez la courge butternut pour réaliser cette recette ; sa chair onctueuse à la saveur de beurre confère à ce potage un velouté incomparable.

RIBOLLITA

POUR **6 personnes**
PRÉPARATION : **20 min**
CUISSON : **4 h**

> 800 g de haricots blancs (cannellini) en conserve, égouttés et rincés
> 400 g de tomates concassées en conserve
> 1 gousse d'ail pilée
> 1 carotte coupée en dés
> 300 g de pommes de terre coupées en dés de 1 cm de côté
> 1 branche de céleri finement émincée en biseau
> 1/4 de chou détaillé en fines lanières
> 2 cuill. à soupe de concentré de tomate
> 2 cuill. à soupe d'huile d'olive
> 1 l de bouillon de volaille
> 200 g de pain coupé en petits morceaux
> 50 g de parmesan fraîchement râpé

Mettez la moitié des haricots blancs et les tomates dans le bol d'un robot, puis mixez-les.

Transvasez la purée obtenue dans la mijoteuse. Ajoutez l'ail, les dés de carotte et de pomme de terre, le céleri, les lanières de chou, le concentré de tomate, l'huile d'olive et le bouillon de volaille. Mélangez intimement, puis faites cuire pendant 4 heures à chaleur vive, jusqu'à ce que les légumes soient tendres.

Vérifiez l'assaisonnement avant d'ajouter le reste des haricots blancs, les morceaux de pain et le parmesan. Remuez et laissez chauffer 5 minutes. Servez dès que le fromage est fondu.

NOTE : la *ribollita* (littéralement « rebouillie ») est une soupe toscane qui se prépare généralement en grandes quantités et se réchauffe le lendemain.

SOUPE DE POIS CASSÉS AU JAMBON

POUR **6 à 8 personnes**
PRÉPARATION : **15 min**
CUISSON : **8 h**

> 2 oignons finement hachés
> 2 carottes coupées en petits dés
> 1 navet coupé en petits dés
> 2 branches de céleri finement hachées
> 450 g de pois cassés rincés et égouttés
> 1 jambon fumé avec son os d'environ 800 g (voir NOTE)
> 1 l de bouillon de volaille
> 2 feuilles de laurier
> 2 branches de thym
> sel et poivre noir du moulin

Réunissez dans la mijoteuse les oignons, les dés de carotte et de navet, le céleri, les pois cassés, le jambon, le bouillon de volaille, 1 l d'eau, le laurier et le thym. Laissez mijoter pendant 8 heures à chaleur douce, jusqu'à ce que les pois cassés soient bien tendres et que le jambon se détache de l'os.

Retirez la viande détachée et l'os du jambon. Lorsqu'ils sont refroidis, détachez le reste du jambon de l'os, puis détaillez la viande en petits morceaux. Remettez ceux-ci dans la soupe. Salez et poivrez.

NOTE : vous pouvez demander au boucher ou au charcutier de préparer le jambon en petits morceaux.

SOUPE À LA TOMATE, AUX ÉPINARDS ET AUX RISONI

POUR **4 personnes**
PRÉPARATION : **15 min**
CUISSON : **3 h 30**

> 1 blanc de poireau finement émincé
> 1 gousse d'ail pilée
> 1/2 cuill. à café de cumin en poudre
> 500 g de coulis de tomates
> 75 cl de bouillon de volaille (ou de légumes)
> 200 g de risoni (petites pâtes à potage, voir NOTE)
> 200 g de jambon fumé, haché (facultatif)
> 500 g d'épinards équeutés et émincés
> 1 $\frac{1}{2}$ cuill. à soupe de jus de citron
> sel et poivre noir du moulin

Réunissez dans la mijoteuse le poireau, l'ail, le cumin, le coulis de tomates, le bouillon et 50 cl d'eau. Laissez mijoter pendant 3 heures à chaleur douce.

Mettez les petites pâtes dans un saladier résistant à la chaleur et couvrez-les d'eau bouillante. Laissez-les tremper pendant 10 minutes, puis égouttez-les. Ajoutez-les dans la mijoteuse. Mettez-y éventuellement le jambon fumé. Prolongez la cuisson d'environ 30 minutes, jusqu'à ce que les *risoni* soient tendres.

Mélangez les épinards et le jus de citron. Ajoutez-les dans la mijoteuse. Laissez chauffer en remuant pour faire fondre les épinards. Salez et poivrez la soupe, puis servez-la accompagnée de pain.

NOTE : les risoni ressemblent à des grains de riz. Vous pouvez les remplacer par toute autre variété de petites pâtes pour potage.

SOUPE AUX PÂTES ET AUX HARICOTS ROUGES

POUR **6 personnes**
PRÉPARATION : **30 min**
CUISSON : **6 h 30**

> 1 jambon à l'os fumé
d'environ 500 g
> 1 oignon finement haché
> 1 petite branche de céleri
finement hachée
> 1 carotte coupée en petits dés
> 400 g de tomates concassées
en conserve
> 75 cl de bouillon de volaille
> 1 feuille de laurier
> 1 grosse branche de romarin
> 400 g de haricots rouges
en conserve, égouttés et rincés
> 150 g de macaronis
> 2 cuill. à soupe de persil plat ciselé
> sel et poivre noir du moulin

À l'aide d'un couteau, entaillez la couenne du jambon. Réunissez dans la mijoteuse l'oignon, le céleri, les dés de carotte, le jambon, les tomates concassées, le bouillon de volaille, 1,5 l d'eau, le laurier et le romarin. Laissez mijoter pendant 6 heures à chaleur douce. Retirez le jambon et laissez-le refroidir légèrement.

Ajoutez les haricots rouges et les macaronis dans la mijoteuse. Augmentez la température et prolongez la cuisson d'environ 30 minutes à chaleur vive, jusqu'à ce que les pâtes soient *al dente*.

Détachez la viande de l'os du jambon, puis jetez le gras et l'os. Détaillez-la en petits morceaux et remettez dans la mijoteuse. Ajoutez le persil plat, puis salez et poivrez.

NOTE : cette soupe italienne très épaisse, à base de pâtes et de haricots *(pasta e fagioli)*, peut être allongée avec du bouillon en fin de cuisson.

MINESTRONE

POUR **6 à 8 personnes**
PRÉPARATION : **30 min**
CUISSON : **8 h 30**

> 1 oignon finement haché
> 2 gousses d'ail pilées
> 80 g de pancetta (ou de lard) coupée en dés
> 1 carotte coupée en dés
> 2 pommes de terre coupées en dés de 1 cm de côté
> 1 branche de céleri coupée en deux dans la longueur et émincée
> 700 g de coulis de tomates
> 75 cl de bouillon de volaille ou de légumes
> 100 g de macaronis
> 100 g de haricots verts coupés en tronçons de 2 cm
> 100 g d'épinards équeutés et détaillés en lanières
> 400 g de haricots blancs (cannellinis) en conserve, égouttés et rincés
> 1 petite poignée de basilic ciselé
> 1 petite poignée de persil plat grossièrement haché
> parmesan fraîchement râpé
> sel et poivre noir du moulin

Réunissez dans la mijoteuse l'oignon, l'ail, les dés de pancetta ou de lard, les dés de carotte et de pomme de terre, le céleri, le coulis de tomates, le bouillon et 75 cl d'eau. Laissez mijoter pendant 8 heures à chaleur douce.

Mettez les pâtes dans un saladier résistant à la chaleur et couvrez-les d'eau bouillante. Laissez-les tremper pendant 10 minutes, puis égouttez-les.

Ajoutez les macaronis, les haricots verts, les épinards et les haricots blancs dans la mijoteuse. Prolongez la cuisson de 30 minutes à découvert ; les pâtes doivent être *al dente* et les légumes, tendres.

Mélangez le basilic et le persil, puis salez et poivrez. Servez la soupe garnie de parmesan dans des bols individuels.

NOTE : le minestrone est une soupe de légumes italienne enrichie de pâtes ou parfois de riz. Il existe autant de recettes de minestrone que de cuisinières... Chaque région revendique le sien : à Gênes, par exemple, il est composé de potiron, de chou, de fèves, de courgettes, de haricots, de céleri et de tomates ; il est garni de trois sortes de pâtes et servi avec du pesto.

SOUPE DE RAVIOLIS

POUR **4 personnes**
PRÉPARATION : **20 min**
CUISSON : **3 h 20 à 4 h 20**

> 1 petit blanc de poireau
> 3 feuilles de bette
> 1 carotte coupée en dés
> 1 courgette coupée en dés
> 1 branche de céleri (avec quelques feuilles), coupée en dés
> 2 champignons chinois séchés (au rayon asiatique des supermarchés, voir NOTE)
> 1,5 l de bouillon de volaille
> 1 cuill. à soupe de sauce soja claire
> 250 g de raviolis frais (au poulet et aux champignons, par exemple)
> poivre noir du moulin

Laissez les racines à la base du poireau et fendez-le dans la longueur. Lavez-le soigneusement, puis égouttez-le. Hachez-le menu et jetez les racines.

Lavez les feuilles de bette et coupez les côtes épaisses. Détaillez les feuilles en petites lanières et réservez.

Mettez le poireau ainsi que les dés de carotte, de courgette et de céleri dans la mijoteuse. Ajoutez les champignons chinois, puis versez le bouillon de volaille et la sauce soja. Faites cuire pendant 3 ou 4 heures, jusqu'à ce que les légumes soient tendres. Environ 30 minutes avant la fin de la cuisson, incorporez les lanières de bette et les raviolis. Prolongez la cuisson de 20 minutes à couvert ; les raviolis doivent être *al dente*.

Retirez les champignons avec des pinces. Coupez les pieds, émincez finement les chapeaux et remettez-les dans la soupe. Au moment de servir, dressez la soupe de raviolis dans des bols, puis poivrez.

NOTES :
• Les champignons chinois sont des champignons noirs vendus desséchés en sachets. Leur texture gélatineuse à la saveur douce se révèle après les avoir fait tremper environ 20 minutes dans de l'eau, où ils triplent facilement leur volume.
• Vous pouvez préparer une version végétarienne de cette soupe en utilisant du bouillon de légumes et des raviolis aux légumes.

CHOWDER

POUR **4 à 6 personnes**
PRÉPARATION : **30 min**
CUISSON : **3 h 30**

> 500 g de filets de poisson
à chair ferme et blanche, sans
la peau (voir NOTES)
> 100 g de jambon fumé, coupé
en dés
> 3 grosses pommes de terre
coupées en dés de 1 cm
> 2 blancs de poireau
finement émincés
> 3 grosses gousses d'ail pilées
> 1,125 l de fumet de poisson
(ou de bouillon de volaille)
> 1 feuille de laurier
> 3 branches de thym
> 20 noix de saint-jacques sans
le corail (environ 350 g)
> 300 g de palourdes en conserve,
avec leur jus
> 45 cl de crème fraîche épaisse
> 2 cuill. à soupe de persil plat ciselé
> sel et poivre noir du moulin

Coupez les filets de poisson en cubes de 2 cm de côté, couvrez et réservez au réfrigérateur.

Réunissez dans la mijoteuse les dés de jambon et de pomme de terre, les blancs de poireau, l'ail, le fumet ou le bouillon, le laurier et le thym. Faites cuire pendant 3 heures à chaleur vive, jusqu'à ce que les pommes de terre soient tendres.

Ajoutez les morceaux de poisson, les noix de saint-jacques, les palourdes avec leur jus et la crème fraîche. Prolongez la cuisson d'environ 30 minutes.

Salez et poivrez. Parsemez de persil plat avant de servir la soupe.

NOTES :

• Les *chowders* sont des soupes traditionnelles du nord-est des États-Unis préparées à base de poissons. Le terme « *chowder* » vient de la déformation du nom du contenant, le chaudron, dans lequel les pionniers les cuisinaient et les réchauffaient.
• Vous pouvez utiliser des filets de poisson à chair blanche et ferme de votre choix, par exemple de la lotte ou de l'espadon.

BOUILLABAISSE

POUR **6 personnes**
PRÉPARATION : **30 min**
CUISSON : **6 h**

> 2 tomates
> 1 carotte coupée en dés
> 1 branche de céleri hachée
> 1 blanc de poireau haché
> 1 bulbe de fenouil coupé en gros morceaux
> 25 cl de fumet de poisson
> 10 cl de vin blanc ou de Pernod
> 2 gousses d'ail pilées
> le zeste râpé de 1 orange
> 1 pincée de filaments de safran
> 1 cuill. à soupe de concentré de tomate
> 200 g de filets de poisson à chair ferme et blanche (lotte, par exemple)
> 200 g de filets de saumon
> 12 moules
> 12 grosses crevettes crues
> persil plat ciselé

Incisez la base de chaque tomate en croix. Faites-les tremper 30 secondes dans de l'eau bouillante. Plongez-les ensuite dans de l'eau froide, égouttez-les et pelez-les à partir de la croix. Coupez-les en deux et hachez grossièrement la pulpe.

Mettez la pulpe de tomate dans la mijoteuse avec les dés de carotte, le céleri, le poireau, les morceaux de fenouil, le fumet, le vin, l'ail, le zeste d'orange, le safran et le concentré de tomate. Faites cuire pendant 3 heures à chaleur vive.

Détaillez le poisson blanc en cubes de 2 cm. Retirez les arêtes du saumon avec vos doigts ou des pinces, puis coupez-le en cubes de 2 cm de côté. Grattez les moules avec une brosse et ôtez les filaments. Jetez les moules cassées ou entrouvertes, qui ne se referment pas lorsque vous les tapez sur le plan de travail. Décortiquez les crevettes en laissant la queue, retirez la veine noire, sur le dos, à partir de la tête. Réservez le poisson et les fruits de mer au réfrigérateur.

Après les 3 heures de cuisson, laissez refroidir légèrement le contenu de la mijoteuse, puis réduisez-le en purée dans le bol d'un robot. Transvasez la purée dans la mijoteuse. Ajoutez le poisson blanc, le saumon, puis laissez mijoter pendant 2 heures à chaleur douce.

Ajoutez les moules, les crevettes, puis faites cuire pendant 1 heure supplémentaire à chaleur douce.

Servez la bouillabaisse parsemée de persil plat dans de grands bols individuels.

NOTE : la bouillabaisse est la soupe traditionnelle de poissons bouillis et aromatisés de la cuisine provençale, en particulier de Marseille. À l'origine, c'était un plat de pêcheurs cuisiné sur la plage, dans un grand chaudron posé sur un feu de bois, avec des poissons invendables sur le marché, comme la rascasse.

GOMBO DE CREVETTES

POUR 4 à 6 personnes
PRÉPARATION : 30 min
CUISSON : 4 h 30

> 1 oignon finement haché
> 1 gousse d'ail pilée
> 1 poivron rouge épépiné et haché
> 4 tranches de bacon dégraissées et hachées
> 1 1/2 cuill. à café de thym
> 2 cuill. à café d'origan séché
> 1 cuill. à café de paprika doux
> 1 pincée de piment de Cayenne
> 4 cuill. à soupe de xérès sec
> 1 l de fumet de poisson ou de bouillon de volaille
> 100 g de riz précuit à grains longs
> 2 feuilles de laurier
> 400 g de tomates concassées en conserve
> 150 g de gombos émincés
> 1 kg de grosses crevettes crues

Réunissez dans la mijoteuse l'oignon, l'ail, le poivron, le bacon, le thym, l'origan, le paprika, le piment de Cayenne, le xérès, le fumet ou le bouillon, le riz, le laurier, les tomates concassées et les gombos. Laissez mijoter pendant 4 heures environ à chaleur douce, jusqu'à ce que le riz et les gombos soient tendres.

Décortiquez les crevettes, en laissant la queue, puis retirez délicatement la veine noire à partir de la tête. Réservez-les au réfrigérateur.

Ajoutez les crevettes dans la mijoteuse et prolongez la cuisson de 15 à 20 minutes. Servez aussitôt.

TOM YUM

POUR 4 personnes
PRÉPARATION : 30 min
CUISSON : 2 h environ

> 3 tiges de blancs de citronnelle
> 5 à 7 piments oiseaux
> 3 lamelles de galanga (voir NOTE)
> 2 l de bouillon de volaille ou d'eau
> 5 feuilles de kaffir coupées en morceaux
> 350 g de grosses crevettes crues
> 90 g de champignons de Paris coupés en quatre
> 2 cuill. à soupe de sauce nuoc-mâm
> 4 cuill. à soupe de jus de citron vert
> 2 cuill. à café de sucre en poudre
> feuilles de coriandre

Écrasez la citronnelle avec le manche d'un couteau ou un rouleau à pâtisserie. Procédez de même pour les piments, après en avoir coupé la tige. Mettez la citronnelle et les piments écrasés dans la mijoteuse avec le galanga, le bouillon (ou l'eau) et les feuilles de kaffir. Faites cuire pendant 2 heures à chaleur vive.

Décortiquez les crevettes en laissant la queue, puis ôtez délicatement la veine noire sur le dos, à partir de la tête. Mettez les crevettes et les champignons dans la mijoteuse, puis prolongez la cuisson de 5 minutes ; les crevettes doivent être fermes et rosées.

Versez la sauce nuoc-mâm, le jus de citron et le sucre. Ajoutez, selon votre goût, du jus de citron ou de la sauce nuoc-mâm. Parsemez la soupe de feuilles de coriandre avant de servir.

NOTE : Cousin du gingembre, le galanga est un rhizome très aromatique, poivré, citronné et légèrement amer, à la pulpe orange ou blanchâtre.

SOUPE THAÏE AU POULET ET AU GALANGA

POUR **4 personnes**
PRÉPARATION : **20 min**
CUISSON : **2 h environ**

> 2 morceaux de galanga de 5 cm de long, finement émincés (voir NOTES p. 34)
> 50 cl de lait de coco
> 25 cl de bouillon de volaille
> 4 feuilles de kaffir, coupées en morceaux (voir NOTES)
> 1 cuill. à soupe de racine de coriandre bien rincée, finement hachée
> 1 ou 2 cuill. à café de piment rouge finement haché
> 500 g de blancs de poulet
> 2 cuill. à soupe de sauce nuoc-mâm (voir NOTES)
> 1 $\frac{1}{2}$ cuill. à soupe de jus de citron vert
> 3 cuill. à café de sucre de palme râpé ou de cassonade
> feuilles de coriandre

> certains de ces ingrédients se trouvent dans les épiceries asiatiques

Réunissez dans la mijoteuse le galanga, le lait de coco, le bouillon de volaille, la moitié des feuilles de kaffir, la racine de coriandre et le piment. Laissez mijoter pendant 1 heure 45 à chaleur douce.

Dégraissez les blancs de poulet avant de les détailler en lanières. Ajoutez-les dans la mijoteuse avec la sauce nuoc-mâm, le jus de citron vert et le sucre. Prolongez la cuisson de 5 à 10 minutes, jusqu'à ce que le poulet soit tendre. Ajoutez le reste des feuilles de kaffir.

Versez la soupe parsemée de feuilles de coriandre dans des bols individuels.

NOTES :

• Fraîches ou séchées, les feuilles du citronnier kaffir sont très parfumées et apportent d'agréables notes herbacées et acidulées à de nombreux plats thaïlandais.
• La sauce nuoc-mâm est rougeâtre à l'odeur et au goût de sardine. On l'obtient en faisant mariner des petits poissons avec du sel et du sucre.

LAKSA DE POULET

POUR **4 personnes**
PRÉPARATION : **30 min**
CUISSON : **2 h 30**

> 70 g de pâte de curry laksa
(voir NOTES)
> 75 cl de bouillon de volaille
> 50 cl de lait de coco
> 200 g de vermicelle de riz
> 8 carrés de tofu frits (abura-age)
coupés en deux dans l'épaisseur
(voir NOTES)
> 90 g de germes de soja
> 2 cuill. à soupe de menthe
vietnamienne ciselée (voir NOTES)
> 3 cuill. à soupe de feuilles
de coriandre
> quartiers de citron vert

Pour les boulettes de poulet
> 500 g de poulet haché
> 1 petit piment rouge
finement haché
> 2 gousses d'ail finement hachées
> 1/2 petit oignon rouge
finement haché
> le blanc de 1 tige de citronnelle
finement haché
> 2 cuill. à soupe
de coriandre ciselée

> certains ingrédients se trouvent
dans les épiceries asiatiques

Préparez les boulettes de poulet. Réunissez dans le bol d'un robot le poulet, le piment, l'ail, l'oignon rouge, la citronnelle et la coriandre. Mélangez les ingrédients grossièrement. Façonnez des boulettes en prélevant la préparation avec une cuillère, puis en la roulant dans le creux des mains humides.

Mettez les boulettes dans la mijoteuse avec la pâte laksa, le bouillon de volaille et le lait de coco. Faites cuire pendant 2 heures 30 à chaleur vive.

Faites tremper le vermicelle de riz pendant 10 minutes dans de l'eau bouillante, dans un saladier résistant à la chaleur. Égouttez-le soigneusement.

Répartissez le vermicelle, le tofu frit et les germes de soja dans quatre bols individuels. Versez la soupe par-dessus et répartissez les boulettes de poulet. Parsemez le tout de menthe vietnamienne et de coriandre, puis servez le laksa accompagné des quartiers de citron vert.

NOTES :
• Le terme *laksa* désigne différentes soupes à base de vermicelles. Cette version au lait de coco aromatisée à la pâte laksa est aussi appelée curry laksa ; on la cuisine aussi avec du poisson et des fruits de mer.
• La pâte de curry laksa est faite à base de curcuma, ce qui lui donne sa belle couleur jaune ainsi que son arôme délicat, idéal pour parfumer les chairs blanches du poulet et des poissons.
• Le tofu frit, que l'on trouve sous le nom de *abura-age*, est une tranche fine de tofu frit deux fois. Il est très prisé en cuisine japonaise et on l'utilise notamment pour réaliser des sushis.
• La menthe vietnamienne a un goût proche de celui de la coriandre mais avec une saveur plus citronnée qui peut surprendre car elle est très épicée.

SOUPE INDIENNE MULLIGATAWNY

POUR **4 personnes**
PRÉPARATION : **30 min**
CUISSON : **3 ou 4 h**

> 400 g de cuisses de poulet
désossées et sans la peau
> 2 cuill. à soupe de chutney
de tomate
> 1 cuill. à soupe de pâte
de curry douce (jaune)
> 2 cuill. à café de jus de citron
> 1/2 cuill. à café de curcuma
> 1,25 l de bouillon de volaille
> 1 oignon finement haché
> 1 pomme de terre coupée en dés
> 1 carotte coupée en dés
> 1 branche de céleri coupée en dés
> 65 g de riz basmati
> 2 cuill. à soupe
de coriandre ciselée
> sel et poivre noir du moulin

Dégraissez les cuisses de poulet, puis détaillez-les en petits cubes.

Réunissez dans la mijoteuse le chutney de tomate, la pâte de curry, le jus de citron et le curcuma. Mouillez d'un peu de bouillon de volaille, puis versez le reste. Ajoutez le poulet, l'oignon, la pomme de terre, la carotte, le céleri et le riz. Faites cuire pendant 3 ou 4 heures à chaleur vive, jusqu'à ce que le poulet, les légumes et le riz soient tendres.

Salez, poivrez, puis servez la soupe parsemée de coriandre dans des bols individuels.

NOTES :

• La soupe mulligatawny est considérée comme la soupe nationale en Inde. Il existe de nombreuses variantes de sa recette ; dans sa version anglo-indienne, elle est préparée, comme ici, avec du curcuma et garnie de poulet ou d'agneau.
• Si vous préférez les saveurs relevées, ajoutez un peu plus de pâte de curry.

CANJA

POUR **6 personnes**
PRÉPARATION : **20 min**
CUISSON : **3 h 10**

> 3 tomates
> 200 g de riz à grains longs
> 2,5 l de bouillon de volaille
> 1 oignon coupé en petits quartiers
> 1 branche de céleri
finement hachée
> 1 cuill. à café de zeste
de citron râpé
> 1 branche de menthe
+ 2 cuill. à soupe de menthe ciselée
> 2 blancs de poulet
> 2 cuill. à soupe de jus de citron
> sel et poivre noir du moulin

Taillez une croix à la base de chaque tomate. Laissez-les tremper 30 secondes dans de l'eau bouillante, dans un saladier résistant à la chaleur. Rafraîchissez-les ensuite dans de l'eau froide. Égouttez-les et pelez-les à partir de la croix. Coupez-les en deux, ôtez les graines et hachez la pulpe.

Mettez la pulpe de tomate dans la mijoteuse avec le riz, le bouillon de volaille, l'oignon, le céleri, le zeste de citron et la branche de menthe. Faites cuire pendant 3 heures à chaleur vive ; le riz doit être tendre.

Dégraissez les blancs de poulet avant de les détailler en fines lanières. Ajoutez-les dans la mijoteuse, arrosez de jus de citron et prolongez la cuisson de 10 minutes en remuant, jusqu'à ce que le poulet soit cuit.

Salez et poivrez. Parsemez cette soupe portugaise de menthe ciselée juste avant de servir.

CRÈME DE POULET AU MAÏS

POUR **4 à 6 personnes**
PRÉPARATION : **20 min**
CUISSON : **2 h 15 environ**

> 4 épis de maïs
> 500 g de cuisses de poulet sans la peau, désossées et dégraissées
> 2 gousses d'ail hachées
> 1 blanc de poireau haché
> 1 grosse branche de céleri hachée
> 1 feuille de laurier
> 1/2 cuill. à café de thym
> 1 l de bouillon de volaille
> 4 cuill. à soupe de xérès
> 1 grosse pomme de terre farineuse, coupée en dés de 1 cm de côté
> 20 cl de crème fraîche liquide
> ciboulette ciselée

Détachez les grains de maïs des épis avec un couteau. Mettez-les dans la mijoteuse avec les cuisses de poulet, l'ail, le poireau, le céleri, le laurier, le thym, le bouillon de volaille, le xérès et les dés de pomme de terre. Faites cuire pendant 2 heures à chaleur vive.

Retirez les cuisses de poulet à l'aide de pinces et laissez-les refroidir sur une planche. Jetez la feuille de laurier.

Réduisez la soupe en purée à l'aide d'un mixeur plongeant. Détaillez la chair de poulet en lanières, puis remettez celles-ci dans la mijoteuse. Versez la crème fraîche et prolongez la cuisson de 10 à 15 minutes, jusqu'à ce que le poulet soit bien chaud.

Parsemez la crème de ciboulette avant de servir.

SOUPE DE POULET

POUR **6 personnes**
PRÉPARATION : **20 min**
CUISSON : **8 h environ**

> 1,5 kg de morceaux de poulet
> 1 blanc de poireau émincé
> 2 branches de céleri émincées
> 1 grosse carotte coupée en dés
> 1 navet coupé en dés
> 1 cuill. à soupe d'aneth ciselé

Mettez les morceaux de poulet, le poireau et le céleri émincés, les dés de carotte et de navet dans la mijoteuse. Couvrez avec 2,5 l d'eau. Laissez mijoter pendant 8 heures environ, à chaleur douce, jusqu'à ce que la chair du poulet se détache des os.

Sortez le poulet de la mijoteuse et laissez-le refroidir, puis détachez complètement la chair des os. Mettez celle-ci dans la mijoteuse et réchauffez-la pendant 5 minutes. Parsemez la soupe d'aneth puis servez.

NOTE : vous pouvez laisser la préparation toute la nuit au réfrigérateur et la dégraisser le lendemain.

SOUPE DE POULET AU VERMICELLE DE RIZ

POUR **6 personnes**
PRÉPARATION : **25 min**
CUISSON : **2 h environ**

> 1 petit piment rouge épépiné et finement haché
> 1 cuill. à soupe de gingembre frais, finement haché
> 2 cuill. à soupe de curry en poudre
> 75 cl de bouillon de volaille
> 80 cl de lait de coco
> 120 g de vermicelle de riz
> 300 g de pak-choï (ou de chou vert)
> 2 blancs de poulet de 250 g chacun
> 4 cuill. à soupe de basilic ciselé

Mettez le piment, le gingembre, le curry, le bouillon de volaille et le lait de coco dans la mijoteuse. Faites cuire pendant 1 heure 30 à chaleur vive.

Faites ramollir le vermicelle de riz pendant 10 minutes dans de l'eau bouillante, dans un saladier résistant à la chaleur, puis égouttez-le. Détachez les feuilles du pak-choï et partagez les plus grandes en deux dans la longueur. Dégraissez le poulet et détaillez-le en fines lanières.

Ajoutez le vermicelle, le pak-choï et le poulet dans la mijoteuse. Prolongez la cuisson d'environ 20 minutes, jusqu'à ce que le poulet soit tendre.

Parsemez la soupe de basilic avant de servir.

CONGEE AU PORC

POUR **4 personnes**
PRÉPARATION : **15 min**
CUISSON : **5 h**

> 300 g de riz à grains longs, soigneusement rincé
> 1 gousse d'anis étoilé
> 2 oignons blancs (sans les feuilles), émincés
> 1 morceau de gingembre de 5 cm, finement émincé
> 2 l de bouillon de volaille
> 1 gousse d'ail pilée
> 400 g de porc haché
> 4 cuill. à soupe de sauce soja claire
> poivre blanc du moulin
> huile de sésame
> beignets chinois

Dans la mijoteuse, réunissez le riz, l'anis étoilé, les oignons, le gingembre, le bouillon de volaille, 75 cl d'eau, l'ail et le porc. Laissez mijoter pendant 5 heures environ à chaleur douce, jusqu'à ce que le riz devienne crémeux et épaississe la soupe. Assaisonnez avec la sauce soja et le poivre blanc.

Goûtez et rectifiez l'assaisonnement, au besoin en ajoutant du poivre blanc. Arrosez d'huile de sésame et servez le *congee* accompagné des beignets chinois.

NOTES :
• Les beignets chinois, appelés *you tiao* ou *yu cha kwai*, sont des mini-baguettes de pain frites. Vendus dans les épiceries asiatiques, ils doivent être consommés, de préférence, le jour de leur fabrication.
• La soupe épaississant au repos, allongez-la, si nécessaire, avec de l'eau ou du bouillon de volaille.

BORTSCH DE BŒUF

POUR **4 à 6 personnes**
PRÉPARATION : **20 min**
CUISSON : **4 h 30 à 5 h**

> 1,2 kg de bœuf dans le paleron
> 1 oignon coupé en dés de 2 cm
de côté
> 2 branches de céleri coupées
en dés de 2 cm de côté
> 1/2 petit chou coupé en dés
de 2 cm de côté
> 2 betteraves pelées et coupées
en quartiers
> 3 cuill. à soupe de concentré
de tomate
> 400 g de tomates concassées
en conserve
> 40 cl de bouillon de bœuf
> 2 cuill. à soupe de vinaigre
> 125 g de crème fraîche
> 2 cuill. à soupe de raifort râpé
> 1 trait de jus de citron
> 2 cuill. à soupe de persil plat ciselé
> sel et poivre noir du moulin

Dégraissez le bœuf et coupez-le en cubes de 2 cm de côté. Mettez ceux-ci dans la mijoteuse avec les dés d'oignon, de céleri et de chou, les quartiers de betterave, le concentré de tomate, les tomates concassées, le bouillon de bœuf et le vinaigre. Faites cuire pendant 3 heures à chaleur vive.

Retirez le couvercle et prolongez la cuisson de 1 heure 30 ou 2 heures, toujours à chaleur vive, jusqu'à ce que la soupe épaississe. Salez et poivrez.

Mélangez dans un petit saladier la crème fraîche, le raifort, le jus de citron et du sel. Servez le bortsch, garni de 1 cuillerée à soupe de cette préparation et parsemé de persil plat, dans des bols individuels.

NOTE : cette soupe à base de betterave est très populaire dans le centre et le sud de la Russie.

PHO DE BŒUF

POUR **6 personnes**
PRÉPARATION : **20 min**
CUISSON : **6 h environ**

> 500 g de bœuf à braiser
> 1 morceau de gingembre de 5 cm,
finement émincé
> 1,5 l de bouillon de bœuf
> 6 grains de poivre noir
> 1 bâton de cannelle
> 4 clous de girofle
> 6 graines de coriandre
> 1 cuill. à café de sel fin
> 500 g de nouilles de riz épaisses,
fraîches
> 2 cuill. à soupe de sauce
nuoc-mâm (voir NOTE p. 36)
> 150 g de rumstek très
finement émincé
> 3 oignons blancs finement hachés
> 1 oignon très finement émincé
> 3 cuill. à soupe de feuilles
de coriandre
> sauce de sauce hoisin
(voir NOTES)

Pour la garniture
> piments rouges émincés
> germes de soja
> feuilles de basilic pourpre
(voir NOTES)
> oignons blancs émincés en biais
> petits quartiers de citron vert

> certains ingrédients se trouvent
dans les épiceries asiatiques

Réunissez dans la mijoteuse le bœuf, le gingembre, le bouillon de bœuf, 25 cl d'eau, le poivre, la cannelle, les clous de girofle, les graines de coriandre et le sel. Laissez mijoter pendant 6 heures à chaleur douce.

Sortez le bœuf de la mijoteuse à l'aide de pinces et laissez-le refroidir. Retirez les épices avec une écumoire. Découpez le bœuf en très fines tranches en travers des fibres, puis réservez.

Mettez les nouilles de riz et la sauce nuoc-mâm dans la mijoteuse. Couvrez et laissez chauffer environ 5 minutes, jusqu'à ce que les nouilles ramollissent.

Répartissez les nouilles dans des bols. Déposez dessus quelques tranches de bœuf cuit et de rumstek cru. Versez le bouillon chaud, parsemez le tout d'oignon et de feuilles de coriandre.

Dressez toute la garniture sur un plateau, au milieu de la table, et laissez les convives se servir. Servez le pho accompagné de sauce hoisin.

NOTES :
• Le *pho*, prononcé « feu », est le plat national vietnamien. Il est peu connu en Occident, mais au Viêt Nam, on le consomme partout et à toute heure de la journée.
• Grand classique des produits originaires de Chine, la sauce hoisin est un mélange de fèves de soja, de sucre, d'eau, de vinaigre et d'épices. Douce et pimentée, elle est utilisée pour des marinades ou en assaisonnement.
• Le basilic pourpre est une variété de basilic thaï dont les petites feuilles vertes tirent sur le violet. Très parfumé, il est cependant fragile et ne se conserve que quelques jours dans le bac à légumes du réfrigérateur.

GOULACHE
AUX BOULETTES

POUR **6 personnes**
PRÉPARATION : **30 min**
CUISSON : **5 h 45 environ**

> 1 kg de bœuf dans le paleron
> 1 oignon finement haché
> 1 gousse d'ail pilée
> 2 cuill. à soupe de paprika doux
> 1 pincée de piment de Cayenne
> 1 cuill. à café de graines de carvi
> 400 g de tomates concassées
en conserve
> 75 cl de bouillon de volaille
> 350 g de pommes de terre
coupées en dés de 2 cm de côté
> 1 poivron vert coupé en deux,
épépiné et détaillé en fines lanières
> 2 cuill. à soupe de crème fraîche
> sel et poivre du moulin

Pour les boulettes
> 80 g de farine autolevante
> 25 g de parmesan finement râpé
> 2 cuill. à café de thym effeuillé
> 1 œuf battu
> sel du moulin

Dégraissez le bœuf et coupez-le en dés de 1 cm de côté. Mettez ceux-ci dans la mijoteuse avec l'oignon, l'ail, le paprika, le piment de Cayenne, le carvi, les tomates concassées, le bouillon de volaille et les dés de pomme de terre. Laissez mijoter pendant 4 heures 30 environ à chaleur douce, jusqu'à ce que le bœuf et les pommes de terre soient tendres.

Incorporez les lanières de poivron, puis poursuivez la cuisson pendant 1 heure à chaleur vive et à découvert. Salez et poivrez.

Préparez les boulettes. Mettez la farine et le parmesan dans un petit saladier. Ajoutez le thym et l'œuf battu, salez, puis mélangez le tout. Posez la préparation sur un plan de travail fariné pour la pétrir légèrement. Façonnez des boulettes en prélevant à chaque fois 1 cuillerée à café de préparation. Mettez les boulettes dans la mijoteuse. Couvrez et faites cuire de 10 à 15 minutes à chaleur vive.

Retirez délicatement les boulettes de la mijoteuse et dressez-les sur des assiettes de service. Incorporez la crème fraîche au goulache avant de le verser sur les boulettes.

NOTE : le goulache est le plat national hongrois. Son origine remonterait aux tribus nomades des plaines hongroises qui faisaient cuire des lanières de bœuf séché et des oignons dans des chaudrons.

SOUPE SUKIYAKI

POUR **4 à 6 personnes**
PRÉPARATION : **30 min**
CUISSON : **2 h 15 environ**

> 1 cuill. à café de dashi déshydraté
(dans les épiceries asiatiques,
voir NOTES)
> 1 blanc de poireau
> 10 g de champignons shiitakés
séchés et émincés
> 1,5 l de bouillon de volaille
> 10 cl de sauce soja
> 2 cuill. à soupe de mirin
(dans les épiceries asiatiques,
voir NOTES)
> 1 cuill. à soupe de sucre en poudre
> 100 g de chou chinois coupé
en lanières
> 300 g de tofu coupé
en cubes de 2 cm de côté
> 400 g de rumstek finement émincé
> 100 g de vermicelle de riz
> 4 oignons blancs émincés en biais

Dans un petit saladier résistant à la chaleur, faites dissoudre le dashi dans 50 cl d'eau bouillante, en remuant.

Fendez le blanc de poireau dans la longueur. Lavez-le soigneusement à l'eau courante, puis égouttez-le. Émincez-le finement.

Mettez le dashi et le poireau dans la mijoteuse avec les champignons shiitakés, le bouillon de volaille, la sauce soja, le mirin et le sucre. Laissez mijoter pendant 2 heures à chaleur douce.

Ajoutez le chou chinois et prolongez la cuisson d'environ 5 minutes. Lorsqu'il commence à fondre, ajoutez le tofu et le rumsteck, puis laissez chauffer pendant 2 minutes.

Faites ramollir le vermicelle de riz pendant 10 minutes dans de l'eau bouillante, dans un saladier résistant à la chaleur. Répartissez le vermicelle dans des bols et versez la soupe sukiyaki dessus, parsemée d'oignons blancs émincés.

NOTES :

• La soupe *sukiyaki* est une soupe japonaise à ne pas confondre avec la fondue japonaise qui porte le même nom.
• Le dashi est un fond de bouillon à base d'algues konbu et de bonite séchée très utilisé dans la cuisine japonaise.
• Le mirin est un vin de riz japonais plus utilisé comme condiment qu'en dégustation pure.

RECETTES FAMILIALES

FUSILLIS AU JAMBON, AU CITRON ET AUX PETITS POIS

POUR **6 personnes**
PRÉPARATION : **20 min**
CUISSON : **3 h 10 environ**

> 500 g de fusillis
> 75 cl de bouillon de volaille
> 25 cl de crème fraîche liquide
> 3 petites branches de thym
> 1 grande lanière de zeste de citron
> 150 g de jambon fumé
coupé en dés
> 2 œufs battus
> 100 g de parmesan
fraîchement râpé
> 230 g de petits pois frais
(ou surgelés)
> sel et poivre noir du moulin

Faites tremper les pâtes pendant 10 minutes dans de l'eau bouillante, dans un saladier résistant à la chaleur, en remuant de temps en temps.

Égouttez les pâtes, puis mettez-les dans la mijoteuse avec le bouillon de volaille, 65 cl d'eau, la crème fraîche, le thym et le zeste de citron. Laissez mijoter 3 heures à chaleur douce ; le liquide doit être presque entièrement absorbé et les pâtes tendres.

Ajoutez les dés de jambon fumé, les œufs battus, le parmesan et les petits pois. Prolongez la cuisson de 5 à 10 minutes, jusqu'à ce que les petits pois soient tendres et que la sauce épaississe.

Salez et poivrez avant de servir.

CANNELLONIS AUX COURGETTES ET À LA RICOTTA

POUR **4 à 6 personnes**
PRÉPARATION : **20 min**
CUISSON : **3 h**

> 2 courgettes râpées
> 500 g de ricotta
> 2 cuill. à café de romarin haché
> 200 g de cannellonis
(environ 20 tubes)
> 700 g de sauce tomate
> 225 g de mozzarella râpée
> 1 poignée de basilic ciselé
> sel et poivre noir du moulin

Dans un saladier, mélangez les courgettes, la ricotta et le romarin. Salez et poivrez, puis farcissez les cannellonis de cette préparation, à l'aide d'une cuillère à café.

Tapissez le fond de la mijoteuse avec la moitié des cannellonis. Nappez-les de la moitié de la sauce tomate, répartissez par-dessus la moitié de la mozzarella râpée et du basilic ciselé. Couvrez avec le reste de cannellonis. Ajoutez le reste de sauce tomate, de mozzarella et de basilic.

Faites cuire 3 heures à chaleur vive ; les pâtes doivent être al dente et le fromage, fondu. Servez les cannellonis accompagnés d'une salade verte.

GRATIN DE MACARONIS

POUR **4 à 6 personnes**
PRÉPARATION : **25 min**
CUISSON : **2 ou 3 h**

> 200 g de macaronis
> 40 cl de lait concentré
en conserve
> 40 cl de lait entier
> 3 œufs battus
> 1/2 cuill. à café de muscade râpée
> 3 oignons blancs hachés
> 125 g de grains de maïs
en conserve égouttés
> 60 g de jambon haché
> 185 g de gruyère râpé
> 100 g de parmesan râpé
> ciboulette hachée
> sel et poivre noir du moulin

Laissez tremper les pâtes pendant 10 minutes dans de l'eau bouillante, dans un saladier résistant à la chaleur, puis égouttez-les.

Graissez généreusement la cocotte de la mijoteuse avec de l'huile végétale.

Versez le lait concentré, le lait entier, les œufs battus et la muscade râpée dans la mijoteuse. Salez et poivrez. Ajoutez les pâtes, les oignons blancs, le maïs, le jambon, 125 g de gruyère et le parmesan. Répartissez le reste de gruyère en surface.

Laissez mijoter 2 ou 3 heures à chaleur douce. Surveillez la cuisson au bout de 2 heures : les pâtes doivent être al dente et la sauce, épaisse, mais légèrement liquide au milieu.

Dressez la préparation parsemée de ciboulette sur des assiettes et servez le gratin de macaronis accompagné d'une salade.

NOTE : cette recette doit absolument cuire à chaleur douce. Vous pouvez préparer une version végétarienne en n'ajoutant pas de jambon.

AUBERGINES FARCIES
À LA GRECQUE

POUR **4 personnes**
PRÉPARATION : **20 min**
CUISSON : **6 h environ**

> 2 grosses aubergines
> 1 oignon finement haché
> 2 gousses d'ail hachées
> 350 g d'agneau haché
> 60 g de concentré de tomate
> 20 cl de vin rouge
> 25 cl de bouillon de volaille
> 400 g de tomates concassées
en conserve
> 2 feuilles de laurier
> 1 bâton de cannelle
> 1 cuill. à soupe d'origan
> yaourt à la grecque
> sel et poivre du moulin

Coupez les aubergines en deux dans le sens de la longueur. Entaillez tout le pourtour avec un couteau pointu, à 1 cm du bord, puis évidez la chair avec une grande cuillère. Hachez-la grossièrement.

Mettez la chair des aubergines dans un saladier avec l'oignon, l'ail, l'agneau et le concentré de tomate. Salez et poivrez, puis mélangez intimement.

Garnissez les aubergines de cette préparation, en réservant éventuellement le reste, puis placez-les dans la mijoteuse. Mouillez avec le vin rouge et le bouillon de volaille. Ajoutez les tomates concassées, le laurier, la cannelle, l'origan et le reste éventuel de farce. Laissez mijoter 6 heures environ à chaleur douce, jusqu'à ce que les aubergines soient tendres.

Dressez les aubergines sur un plat de service et rectifiez l'assaisonnement, au besoin. Garnissez chaque aubergine farcie de 1 cuillerée de yaourt avant de servir avec une salade grecque.

POULET À LA TOMATE ET À LA CRÈME

POUR **4 personnes**
PRÉPARATION : **20 min**
CUISSON : **4 h environ**

> 1,5 kg de morceaux de poulet dégraissés
> 4 tranches de bacon dégraissées et hachées
> 2 oignons hachés
> 1 gousse d'ail pilée
> 400 g de tomates concassées en conserve
> 300 g de petits champignons de Paris coupés en deux
> 25 cl de crème fraîche liquide
> 2 cuill. à soupe de persil plat ciselé
> 2 cuill. à soupe de thym citron

Mettez dans la mijoteuse les morceaux de poulet, le bacon, les oignons, l'ail et les tomates concassées. Faites cuire pendant 3 heures environ à chaleur vive, jusqu'à ce que le poulet soit presque tendre.

Ajoutez les champignons de Paris et la crème fraîche, puis prolongez la cuisson de 30 minutes. Retirez le couvercle et laissez cuire encore 30 minutes pour faire épaissir la sauce.

Ajoutez le persil et le thym citron, puis servez le poulet à la tomate et à la crème accompagné d'une purée de pomme de terre et de haricots verts.

GOULACHE DE POULET

POUR **4 personnes**
PRÉPARATION : **20 min**
CUISSON : **4 h 40 environ**

> 700 g de cuisses de poulet sans la peau, désossées
> 1 oignon émincé
> 2 gousses d'ail émincées
> 2 poivrons verts épépinés et émincés
> 1 cuill. à soupe de paprika doux
> 125 g de coulis de tomates
> 1 branche de marjolaine
> 10 cl de vin blanc
> 25 cl de bouillon de volaille
> 125 g de crème fraîche épaisse
> 1 cuill. à soupe de fécule de maïs
> 1 petite poignée de persil plat
> sel et poivre noir du moulin

Dégraissez les cuisses de poulet et coupez-les en quatre. Mettez-les dans la mijoteuse avec l'oignon, l'ail, les poivrons, le paprika, le coulis de tomates et la marjolaine. Mouillez avec le vin blanc et le bouillon de volaille. Laissez mijoter pendant 4 heures 30 environ, à chaleur douce, jusqu'à ce que le poulet soit tendre.

Mélangez la crème fraîche et la fécule de maïs dans un petit saladier avant de les verser dans la mijoteuse. Prolongez la cuisson de 5 à 10 minutes pour faire épaissir la sauce.

Salez et poivrez, puis ajoutez le persil plat. Servez le goulache accompagné de riz.

POULET À L'ABRICOT

POUR **4 personnes**
PRÉPARATION : **15 min**
MARINADE : **12 h**
CUISSON : **4 h**

> 4 blancs de poulet de 280 g
chacun
> 1 gousse d'ail pilée
> 1 cuill. à soupe de gingembre frais
râpé
> 1 cuill. à soupe de cumin en poudre
> 1 cuill. à soupe de coriandre
en poudre
> 1 cuill. à café de cannelle
en poudre
> 2 cuill. à soupe d'huile végétale
> 30 g de farine
> 40 cl de nectar d'abricot
> 1 cuill. à soupe de miel
> 1 cuill. à soupe de jus de citron
> 60 g d'amandes effilées et grillées
> 1 poignée de coriandre fraîche
> sel et poivre noir du moulin

La veille, réunissez les blancs de poulet, l'ail, le gingembre, le cumin, la coriandre en poudre, la cannelle et l'huile dans un plat. Remuez soigneusement pour enrober le poulet. Couvrez et laissez mariner une nuit au réfrigérateur.

Le jour même, versez la farine dans un plat. Retirez le poulet de la marinade et enrobez-le de farine. Mettez-le dans la mijoteuse avec le nectar d'abricot, le miel et le jus de citron. Faites cuire pendant 4 heures à chaleur vive.

Salez et poivrez. Parsemez le poulet à l'abricot d'amandes grillées et de coriandre fraîche avant de le servir accompagné de riz.

POULET À LA MOUTARDE ET À L'ESTRAGON

POUR **4 à 6 personnes**
PRÉPARATION : **20 min**
CUISSON : **3 h**

> 1 kg de cuisses de poulet
désossées, sans la peau
> 1 oignon finement haché
> 1 blanc de poireau
finement émincé
> 1 gousse d'ail finement hachée
> 1/2 cuill. à café d'estragon séché
> 10 cl de bouillon de volaille
> 350 g de champignons
de Paris émincés
> 20 cl de crème fraîche liquide
> 2 cuill. à soupe de moutarde
> 1 $\frac{1}{2}$ cuill. à soupe de jus de citron

Dégraissez les cuisses de poulet, puis coupez-les en quatre. Mettez-les dans la mijoteuse avec l'oignon, le blanc de poireau, l'ail, l'estragon et le bouillon de volaille. Faites cuire pendant 2 heures 30 à chaleur vive.

Ajoutez les champignons de Paris, la crème fraîche et la moutarde. Mélangez intimement, puis prolongez la cuisson de 30 minutes.

Arrosez le poulet de jus de citron avant de le servir accompagné d'une purée de pommes de terre, de courgettes ou de haricots verts.

POULET BASQUAISE

POUR **4 personnes**
PRÉPARATION : **25 min**
CUISSON : **8 h**

> 1 poulet de 1,8 kg (voir NOTE)
> 1 oignon coupé en dés de 2 cm
de côté
> 1 poivron rouge coupé en dés
de 2 cm de côté
> 1 poivron vert coupé en dés
de 2 cm de côté
> 2 gousses d'ail finement hachées
> 200 g de chorizo coupé
en rondelles
> 15 cl de vin blanc
> 80 g de concentré de tomate
> 100 g d'olives noires
> 1/4 de citron confit
> 2 cuill. à soupe de basilic ciselé
> 2 cuill. à soupe de persil plat ciselé

Découpez le poulet en huit morceaux : détachez les cuisses,
puis tranchez entre le pilon et le haut de cuisse. Incisez
de part et d'autre de la colonne vertébrale et retirez-la.
Retournez le poulet et coupez entre les deux blancs.
Partagez chaque blanc en deux, en laissant l'aile attachée.

Mettez les morceaux de poulet dans la mijoteuse avec les dés
d'oignon et de poivron, l'ail, les rondelles de chorizo, le vin
blanc, le concentré de tomate et les olives noires.

Rincez abondamment le citron confit. Retirez et jetez la pulpe
et les membranes, puis coupez le zeste en petits dés. Ajoutez-
les dans la mijoteuse, puis laissez mijoter pendant 8 heures
à chaleur douce.

Ajoutez le basilic et parsemez le poulet basquaise de persil
plat avant de le servir avec du riz.

NOTE : vous pouvez aussi vous procurer le même poids
de découpes de poulet.

POULET EXCELDOR AU MIEL ET À L'AIL
Pour 4 personnes

• 1 tasse (250 ml) de miel liquide
• 1 tasse (250 ml) de sauce BBQ à badigeonner
• 3 gousses d'ail, pressées • Persil frais, haché
• Sel et poivre du moulin • Ciboulette fraîche, hachée
• 4 tranches de fromage (mozzarella, suisse, Oka ou cheddar fort)
• 1 paquet (4 unités) de poitrines de poulet Exceldor • 4 tranches de jambon fumé

Couper les poitrines de poulet Exceldor en papillon. Mélanger les ingrédients de la marinade : sauce BBQ, miel, ail, persil, sel, poivre et ciboulette. Réserver 1 tasse de marinade pour la cuisson dans un autre contenant et garder au réfrigérateur. Déposer le poulet et la marinade dans un plat de plastique hermétique. Laisser mariner au réfrigérateur pendant 2 heures ou toute la nuit. Remuer le poulet dans sa marinade à plusieurs reprises. Retirer le poulet de la marinade. Insérer une tranche de jambon et de fromage dans les poitrines et ficeler solidement de façon à ce que le jambon et le fromage demeure à l'intérieur. Jeter la marinade. Réchauffer le barbecue à feu élevé et faire griller les poitrines de poulet de 3 à 5 minutes jusqu'à ce qu'elles soient bien dorées. Retourner les poitrines, les badigeonner et baisser le feu à moyen-bas. Poursuivre la cuisson pendant environ 20 minutes jusqu'à cuisson complète, lorsque la température interne indique 77 °C (170 °F).
Servez avec du riz et des asperges grillées.

POULET DU GÉNÉRAL TAO
Pour 4 personnes

• 2 c. à thé (10 ml) d'huile d'olive
• 3 à 4 c. à soupe (45 ml à 60 ml) de fécule de maïs
• 1 lb (500 g) de poitrines de poulet désossées Exceldor ou de hauts de cuisse de poulet désossés Exceldor, coupés en gros cubes **Sauce :** 2 c. à soupe (30 ml) d'huile de sésame • 3 c. à soupe (45 ml) de gingembre frais râpé • ¼ tasse (60 ml) d'oignons verts coupés en biseau
• ½ tasse (125 ml) de cassonade • 3 c. à soupe (60 ml) chacun de sauce hoisin, de vinaigre blanc et de ketchup • 2 c. à soupe (30 ml) de sauce soya • ½ tasse (125 ml) d'eau

Enrober les cubes de poulet de fécule de maïs. Dans un grand poêlon antiadhésif, chauffer l'huile d'olive. Ajouter le poulet et cuire pendant 10 minutes, en remuant souvent, jusqu'à ce que le poulet soit doré à l'extérieur et qu'il perde sa teinte rosée à l'intérieur. Mettre le poulet dans une assiette et réserver. Mélanger dans un bol la cassonade, la sauce hoisin, le vinaigre, le ketchup, la sauce soya et l'eau. Réserver. Ajouter l'huile de sésame, le gingembre et les oignons verts dans le poêlon. Cuire à feu moyen-vif, pendant 3 minutes. Ajouter la sauce réservée et racler le fond du poêlon en mélangeant. Porter à ébullition, baisser le feu et laisser mijoter 2 minutes ou jusqu'à ce que la sauce ait épaissi. Remettre le poulet réservé dans le poêlon et mélanger pour réchauffer le poulet. Servir sur du riz basmati et garnir de tranches d'oignons verts.

EXCELDOR HONEY GARLIC CHICKEN
Serves 4

- 1 cup (250 ml) liquid hone
- 1 cup (250 ml) BBQ basting sauc
- 3 garlic cloves, pressed • Fresh parsley, choppe
- Salt and freshly ground pepper • Fresh chives, choppe
- 4 slices of cheese (mozzarella, Swiss, Oka or sharp chedda
- 1 package (4 pieces) Exceldor chicken breasts • 4 slices smoked ha

Cut a pocket lengthwise in each Exceldor chicken breast. In a resealable plastic dis
mix marinade ingredients : BBQ sauce, honey, garlic, parsley, salt, pepper and chive
In a separate bowl, set aside 1 cup of the marinade for basting purposes at cookir
time, keep refrigerated. Add chicken pieces to marinade and marinate in refrigerator fo
2 hours or overnight, turning chicken pieces over several times. Remove chicken fro
marinade and stuff each pocket with a slice of ham and a slice of cheese, tying up eac
breast to keep ham and cheese from falling out. Discard marinade. Set barbecue to hig
heat and grill breasts 3-5 minutes until golden brown. Flip breasts over, bas
and reduce heat to medium-low. Continue grilling for approximately 20 minutes un
chicken is thoroughly cooked or until intern
temperature reaches 170° F (77°
Serve with rice and grilled asparagu

GENERAL TAO CHICKEN
Serves 4

- 2 tsp. (10 ml) olive o
- 3-4 tbsp. (45-60 ml) cornstar
- 1 lb (500 g) Exceldor boneless chicken breas
  or thighs, cut into large cube

Sauce: 2 tsp. (10 ml) sesame oil • 3 tbsp. (45 ml) grated fresh ging
- ¼ cup (60 ml) green onions, sliced diagonally • ½ cup (125 ml) brown sug
- 3 tbsp. (60 ml) each of hoisin sauce, white vinegar and ketch
- 2 tbsp. (30 ml) soy sauce • ½ cup (125 ml) wat

Coat chicken cubes with cornstarch. Heat oil in large non-stick skillet. Add chicken an
cook for 10 minutes, stirring often, until golden on the outside and no longer pink insi
Transfer chicken to a plate and set aside. Mix brown sugar, hoisin sauce, vineg
ketchup, soy sauce and water in a bowl. Set aside. Add sesame oil, ginger and gre
onions to skillet. Cook over medium-high heat for 3 minutes. Add reserved sau
and stir, scraping the inside of the pan. Bring to a boil, reduce heat and simm
2 minutes or until sauce thickens. Return chicken to skillet. Stir to reheat chicke
Serve over basmati rice and garnish with green onion

RÔTI DE DINDE BRAISÉ

POUR **6 personnes**

PRÉPARATION : **20 min**

CUISSON : **4 h 40**

> 1 rôti de dinde de 1,5 kg
> 1 oignon coupé en quartiers
> 300 g de patates douces orange coupées en morceaux de 3 cm de côté
> 10 cl de vin blanc
> 10 cl de bouillon de volaille
> 2 courgettes coupées en rondelles de 2 cm de côté
> 150 g de gelée de groseille
> 1 cuill. à soupe de fécule de maïs

Enroulez la dinde de ficelle de cuisine à intervalles réguliers pour préserver la forme du rôti.

Mettez le rôti dans la mijoteuse. Répartissez tout autour les quartiers d'oignon et les morceaux de patates douces, puis mouillez avec le vin blanc et le bouillon de volaille. Laissez mijoter pendant 4 heures à chaleur douce.

Ajoutez les rondelles de courgette et la gelée de groseille. Prolongez la cuisson de 30 minutes à chaleur vive et à découvert. Réservez le rôti de dinde et les légumes sur un plat couvert et au chaud.

Délayez la fécule de maïs dans 1 cuillerée à soupe d'eau, dans un petit saladier. Versez la préparation dans la mijoteuse et laissez épaissir la sauce pendant 10 minutes à chaleur vive, en remuant.

Découpez le rôti de dinde braisé avant de le servir avec les légumes et la sauce.

ROULEAUX DE CHOU FARCIS

POUR **4 personnes**
PRÉPARATION : **30 min**
CUISSON : **2 h 30**

> 1/2 gros chou
> 400 g de porc haché
> 220 g de riz précuit à grains courts
> 50 g de chapelure
> 2 gousses d'ail pilées
> 1 œuf battu
> 1 oignon coupé en petits dés
> 1 cuill. à soupe de moutarde
> 1 cuill. à soupe de Worcestershire sauce
> 1 pincée de poivre blanc
> 1 $\frac{1}{2}$ cuill. à café de sel
> 4 cuill. à soupe de vinaigre de vin rouge
> 2 tranches de bacon finement émincées
> 500 g de coulis de tomates

Faites tremper le chou de 5 à 10 minutes dans de l'eau bouillante, dans un grand saladier résistant à la chaleur, puis détachez les feuilles avec des pinces. Rincez-les à l'eau froide et égouttez-les.

Dans un saladier, mélangez le porc, le riz, la chapelure, l'ail, l'œuf battu, les dés d'oignon, la moutarde, la Worcestershire sauce, le poivre blanc et le sel. Ajoutez 1 cuillerée à soupe de vinaigre.

Utilisez les grandes feuilles de chou pour former les rouleaux et réservez les plus petites. Taillez chaque grande feuille d'un V à sa base pour en ôter la côte. Façonnez des « saucisses » de 2 cm de diamètre et 4 cm de longueur avec la préparation, puis placez chaque « saucisse » au milieu d'une feuille de chou. Enroulez chaque feuille autour de la farce, en veillant à bien l'enfermer.

Détaillez les petites feuilles de chou réservées en fines lanières pour en tapisser le fond de la mijoteuse. Couvrez avec le bacon, puis les rouleaux de chou farcis. Nappez de coulis de tomates et arrosez avec le reste de vinaigre de vin rouge. Faites cuire 2 heures 30 à chaleur vive.

BOULETTES DE VIANDE À LA CHINOISE

POUR **4 personnes**
PRÉPARATION : **30 min**
CUISSON : **2 h 10**

> 450 g de porc haché
> 1 blanc d'œuf
> 4 oignons blancs finement hachés
> 1 cuill. à soupe de vin de riz chinois (dans les épiceries asiatiques)
> 1 cuill. à café de gingembre frais râpé
> 1 cuill. à soupe de sauce soja claire
> 2 cuill. à café de sucre en poudre
> 1 cuill. à café d'huile de sésame
> 75 cl de bouillon de volaille
> 300 g de chou chinois (pak-choï)
> 100 g de vermicelle de riz
> sel et poivre blanc du moulin

Mixez rapidement le porc haché et le blanc d'œuf dans le bol d'un robot, jusqu'à obtention d'une préparation mousseuse. Si vous n'avez pas de robot, écrasez le porc dans un grand saladier et mélangez progressivement le blanc d'œuf.

Ajoutez les oignons, le vin de riz, le gingembre, la sauce soja, le sucre en poudre et l'huile de sésame. Salez et poivrez, puis mixez (ou mélangez) de nouveau. Partagez la préparation en boulettes de la grosseur d'une noix.

Placez les boulettes dans la mijoteuse et versez le bouillon de volaille. Laissez mijoter pendant 2 heures à chaleur douce. Ajoutez le pak-choï émincé et prolongez la cuisson de 10 minutes.

Faites ramollir le vermicelle pendant 10 minutes dans de l'eau bouillante, dans un saladier résistant à la chaleur. Égouttez-le, puis ajoutez-le dans la mijoteuse et remuez.

Répartissez le vermicelle et les boulettes dans des bols individuels, puis arrosez-les avec le bouillon de cuisson.

CASSOULET AUX SAUCISSES DE PORC

POUR **4 personnes**
PRÉPARATION : **15 min**
CUISSON : **3 h 15**

> 8 petites saucisses de porc
> 1 oignon coupé en petits quartiers
> 180 g de champignons émincés
> 2 gousses d'ail hachées
> 1 cuill. à café de paprika
> 400 g de tomates concassées en conserve
> 1 cuill. à soupe de concentré de tomate
> 1 cuill. à soupe de graines de moutarde (dans les épiceries indiennes)
> 400 g de haricots blancs ou rouges en conserve
> 2 cuill. à soupe de persil plat ciselé
> sel et poivre noir du moulin

Piquez les saucisses de porc à la fourchette avant de les mettre dans la mijoteuse. Ajoutez les quartiers d'oignon, les champignons et l'ail. Saupoudrez de paprika, salez et poivrez. Ajoutez les tomates concassées, le concentré de tomate et les graines de moutarde.

Faites cuire pendant 3 heures à chaleur vive.

Ajoutez les haricots blancs ou rouges égouttés et rincés, puis laissez-les chauffer pendant 15 minutes.

Parsemez le cassoulet aux saucisses de persil plat avant de servir.

NOTE : vous pouvez faire dorer les saucisses à la poêle antiadhésive avant de les mettre dans la mijoteuse.

TRAVERS DE PORC À LA BIÈRE ET À LA SAUCE BARBECUE

POUR **4 à 6 personnes**
PRÉPARATION : **20 min**
CUISSON : **4 h 10 à 5 h 10**

> 1,5 kg de travers de porc
> 20 cl de bière
> 20 cl de sauce barbecue
> 2 cuill. à soupe de sauce de piment douce
> 1 cuill. à soupe de Worcestershire sauce
> 1 cuill. à soupe de miel
> 2 oignons blancs finement émincés
> 2 gousses d'ail pilées
> 1 cuill. à soupe de fécule de maïs
> 1 petite poignée de coriandre
> sel et poivre du moulin

Découpez les côtes de porc une par une, ou par groupes de deux ou trois, puis dégraissez-les.

Dans un grand saladier, mélangez la bière, la sauce barbecue, la sauce de piment, la Worcestershire sauce, le miel, les oignons et l'ail. Salez et poivrez. Ajoutez les côtes de porc et enrobez-les soigneusement de marinade.

Mettez les côtes et la marinade dans la mijoteuse. Faites cuire pendant 4 heures à chaleur vive. Au bout de 4 heures de cuisson, vérifiez si la viande est tendre (elle ne doit pas se détacher des os) ; prolongez la cuisson de 1 heure, au besoin.

À l'aide de pinces, déposez les côtes de porc sur un plat, puis couvrez-les pour les garder au chaud.

Délayez la fécule de maïs dans 1 cuillerée à soupe d'eau, puis versez le mélange dans la mijoteuse. Laissez épaissir la sauce de 5 à 10 minutes à chaleur vive, en remuant.

Dressez les côtes de porc sur des assiettes, nappez-les de sauce et parsemez le tout de feuilles de coriandre.

RAGOÛT DE PORC ET DE LÉGUMES À L'ESPAGNOLE

POUR **4 à 6 personnes**
PRÉPARATION : **25 min**
CUISSON : **4 h**

> 1 kg de palette de porc désossée
> 2 chorizos forts, coupés en rondelles
> 600 g de pommes de terre coupées en cubes
> 1 oignon rouge coupé en dés
> 2 gousses d'ail hachées
> 2 poivrons rouges épépinés et hachés
> 400 g de tomates concassées en conserve
> 1 pincée de filaments de safran
> 1 cuill. à soupe de paprika doux
> 10 grosses branches de thym
> 1 feuille de laurier
> 60 g de concentré de tomate
> 10 cl de vin blanc
> 10 cl de bouillon de volaille
> 2 cuill. à soupe de xérès
> 1 poignée de persil plat ciselé
> sel et poivre noir du moulin

Parez le porc et détaillez-le en cubes de 4 cm de côté. Mettez ceux-ci dans la mijoteuse avec les rondelles de chorizo, les cubes de pomme de terre, l'oignon, l'ail, les poivrons, les tomates concassées, le safran, le paprika, le thym et le laurier.

Dans un petit saladier, mélangez le concentré de tomate, le vin blanc, le bouillon de volaille et le xérès, puis versez la préparation dans la mijoteuse. Faites cuire pendant 4 heures à chaleur vive.

Salez et poivrez. Parsemez de persil plat avant de servir.

GOULACHE DE VEAU AU PAPRIKA DOUX

POUR **4 personnes**
PRÉPARATION : **20 min**
CUISSON : **4 h 05**

> 1 kg d'épaule de veau désossée
> 1 oignon émincé
> 2 gousses d'ail pilées
> 1 cuill. à soupe de paprika doux
> 1/2 cuill. à café de graines de carvi
> 2 feuilles de laurier
> 625 g de coulis de tomates
> 10 cl de bouillon de volaille
> 10 cl de vin rouge
> 2 pommes de terre coupées en dés
> 275 g de poivrons rouges grillés en conserve, égouttés et rincés
> crème fraîche
> sel et poivre noir du moulin

Coupez le veau en cubes de 3 cm de côté. Mettez ceux-ci dans la mijoteuse avec l'oignon, l'ail, le paprika, le carvi, le laurier, le coulis de tomates, le bouillon de volaille, le vin rouge et les dés de pomme de terre. Faites cuire environ 4 heures à chaleur vive, jusqu'à ce que le veau soit tendre.

Ajoutez les poivrons et laissez chauffer encore 5 minutes.

Salez et poivrez, puis servez le goulache de veau avec de la crème fraîche et accompagné de tagliatelles fraîches.

VEAU AUX PATATES DOUCES ET AUX OLIVES

POUR **4 personnes**
PRÉPARATION : **15 min**
CUISSON : **4 h 10 environ**

> 1 kg de noix de veau
> 350 g de patates douces orange
> 1 gros oignon rouge haché
> 1 branche de céleri hachée
> 2 gousses d'ail hachées
> 400 g de tomates concassées en conserve
> 6 cl de vin blanc ou d'eau
> 2 cuill. à soupe de concentré de tomate
> 1 branche de romarin
> 1 cuill. à soupe de fécule de maïs
> 12 olives vertes dénoyautées
> 2 cuill. à soupe de persil ciselé
> le zeste râpé de 1 petit citron
> sel et poivre noir du moulin

Coupez le veau en cubes de 4 cm de côté. Pelez les patates douces et détaillez-les également en cubes de 4 cm de côté.

Mettez les cubes de veau et de patates douces dans la mijoteuse avec l'oignon rouge, le céleri, l'ail, les tomates concassées, le vin blanc ou l'eau, le concentré de tomate et le romarin. Salez et poivrez, puis faites cuire pendant 4 heures à chaleur vive. Retirez le romarin.

Délayez la fécule de maïs dans un peu d'eau, puis versez le mélange dans la mijoteuse. Prolongez la cuisson de 5 à 10 minutes pour faire épaissir la sauce.

Ajoutez les olives, le persil et le zeste de citron avant de servir.

RAGOÛT DE BŒUF ITALIEN AUX BOULETTES

POUR **4 à 6 personnes**
PRÉPARATION : **30 min**
CUISSON : **4 h 30**

> 1 kg de bœuf à braiser
(paleron, par exemple)
> 1 oignon émincé
> 2 gousses d'ail pilées
> 25 cl de bouillon de bœuf
> 850 g de tomates concassées
en conserve
> 450 g de poivrons rouges grillés
en conserve, égouttés et émincés
> 1 cuill. à soupe d'origan haché
> 100 g de pesto
> sel et poivre noir du moulin

Pour les boulettes
> 40 g de farine
> 35 g de polenta
> 1 cuill. à café de levure chimique
> 1/2 cuill. à café de sel
> 1 blanc d'œuf
> 2 cuill. à soupe de lait
> 1 cuill. à soupe d'huile d'olive

Parez le bœuf et coupez-le en cubes de 3 cm de côté. Mettez ceux-ci dans la mijoteuse avec l'oignon, l'ail, le bouillon de bœuf, les tomates concassées, les poivrons et l'origan. Salez et poivrez, puis faites cuire pendant 4 heures à chaleur vive.

Préparez les boulettes. Dans un grand saladier, tamisez la farine, la polenta, la levure chimique et le sel. Formez un puits pour y verser le blanc d'œuf, le lait et l'huile d'olive. Mélangez intimement. Façonnez des boulettes en prélevant de petites portions de préparation à l'aide d'une cuillère à café. Incorporez les boulettes dans la mijoteuse, puis prolongez la cuisson de 30 minutes.

Vérifiez l'assaisonnement, puis servez le ragoût de bœuf garni de pesto dans des assiettes individuelles.

RAGOÛT DE BŒUF AUX NAVETS

POUR **4 à 6 personnes**
PRÉPARATION : **15 min**
CUISSON : **4 h**

> 1 kg de bœuf dans le paleron
> 2 oignons finement émincés
> 4 petits navets coupés
en quartiers
> 150 g de lardons
> 12 cl de vin rouge
> 1 $\frac{1}{2}$ cuill. à soupe de vinaigre
de vin rouge
> 25 cl de bouillon de bœuf
> 1 grosse branche de menthe
> sel et poivre noir du moulin

Parez le bœuf et coupez-le en cubes de 4 cm de côté.

Mettez ceux-ci dans la mijoteuse avec les oignons, les quartiers de navet, les lardons, le vin rouge, le vinaigre de vin, le bouillon de bœuf et la menthe. Laissez mijoter pendant 4 heures à chaleur douce.

Retirez la menthe. Salez et poivrez avant de servir.

CURRY DE SAUCISSES AUX POMMES DE TERRE ET AUX PETITS POIS

POUR **4 personnes**
PRÉPARATION : **20 min**
CUISSON : **4 h 05**

> 1 cuill. à soupe de lentilles corail
> 1 cuill. à café de grains
de poivre noir
> 1 petit piment rouge séché
et haché
> 1/2 cuill. à café de graines de cumin
> 1/2 cuill. à café de graines
de coriandre
> 3 pommes de terre coupées
en morceaux de 3 cm d'épaisseur
> 1 oignon émincé
> 500 g de saucisses de porc
ou de bœuf
> 2 feuilles de curry fraîches
(facultatif) (voir NOTE)
> 2 cuill. à soupe de cognac
> 4 cuill. à soupe de bouillon
de bœuf
> 1 cuill. à soupe de moutarde
> 10 cl de crème fraîche liquide
> 150 g de petits pois frais
ou surgelés
> 1 poignée de persil plat ciselé
> chutney à la tomate
> sel et poivre noir du moulin

À l'aide d'un mortier et d'un pilon ou d'un moulin à épices, pilez ou broyez ensemble les lentilles, les grains de poivre, le piment, ainsi que les graines de cumin et de coriandre jusqu'à obtention d'une poudre fine. Passez-la à travers un chinois fin et réservez.

Mettez les morceaux de pomme de terre et l'oignon dans la mijoteuse. Couvrez-les avec les saucisses et, éventuellement, les feuilles de curry.

Dans un saladier, mélangez le cognac, le bouillon de bœuf, la moutarde et la crème fraîche, puis versez la préparation sur les saucisses. Versez la poudre d'épices réservée. Laissez mijoter pendant 4 heures à chaleur douce.

Ajoutez les petits pois et prolongez la cuisson de 5 minutes.

Salez et poivrez, puis servez le curry de saucisses parsemé de persil plat et accompagné de chutney à la tomate.

NOTE : la feuille de curry pousse sur un petit arbre du sud de l'Inde. Fraîche ou sèche, elle participe au parfum des plats mijotés et des currys en particulier.

RAGOÛT DE BŒUF CAMPAGNARD

POUR **6 à 8 personnes**
PRÉPARATION : **30 min**
CUISSON : **5 h 30**

> 1 kg de bœuf à braiser
(paleron, par exemple)
> 1 petite aubergine coupée
en cubes de 1 ou 2 cm de côté
> 250 g de petites pommes de terre
nouvelles coupées en deux
> 2 branches de céleri émincées
> 3 carottes coupées en morceaux
> 2 oignons rouges émincés
> 6 tomates bien mûres
et concassées
> 2 gousses d'ail pilées
> 1 cuill. à café de coriandre
en poudre
> 1/2 cuill. à café de piment
de Jamaïque (ou quatre-épices)
> 3/4 de cuill. à café de paprika doux
> 25 cl de vin rouge
> 50 cl de bouillon de bœuf
> 2 cuill. à soupe de concentré
de tomate
> 2 feuilles de laurier
> 3 cuill. à soupe de persil plat ciselé
> sel et poivre noir du moulin

Parez le bœuf et coupez-le en cubes de 4 cm de côté.

Mettez ceux-ci dans la mijoteuse avec les cubes d'aubergine, les pommes de terre, le céleri, les morceaux de carotte, les oignons, les tomates, l'ail, la coriandre, le piment de Jamaïque, le paprika, le vin rouge, le bouillon de bœuf, le concentré de tomate et le laurier. Laissez mijoter pendant 5 heures 30 à chaleur douce.

Salez et poivrez, puis parsemez le ragoût de persil plat avant de servir.

BOULETTES DE VIANDE À L'ITALIENNE

POUR **4 à 6 personnes**
PRÉPARATION : **25 min**
CUISSON : **4 h**

> 700 g de coulis de tomates
> 10 cl de vin rouge
> sel et poivre noir du moulin

Pour les boulettes de viande

> 1 oignon finement haché
> 80 g de pignons de pin hachés
> 2 gousses d'ail pilées
> 1 petite poignée de persil plat ciselé
> 1 cuill. à café de romarin haché
> 2 cuill. à café de graines de fenouil moulues
> 50 g de chapelure
> 25 g de parmesan fraîchement râpé
> le zeste râpé de 1 gros citron
> 1 œuf
> 500 g de porc ou de bœuf haché

Préparez les boulettes de viande, réunissez tous les ingrédients dans un saladier et mélangez intimement avec les mains. Façonnez des boulettes de la grosseur d'une noix et posez-les sur un plat. Réservez les boulettes 20 minutes au réfrigérateur.

Mettez le coulis de tomates, le vin rouge et les boulettes dans la mijoteuse. Salez et poivrez, puis faites cuire pendant 4 heures à chaleur vive.

Servez les boulettes et la sauce tomate accompagnées de spaghettis, de riz ou d'une purée de pommes de terre et d'une salade verte.

PLAT DE CÔTES BRAISÉ

POUR **6 personnes**
PRÉPARATION : **15 min**
CUISSON : **4 ou 5 h**

> 2 kg de plat de côtes de bœuf
> 180 g de lard fumé
> 2 oignons hachés
> 1 gousse d'ail pilée
> 1 petit piment rouge épépiné
et finement émincé
> 50 cl de bouillon de bœuf
> 400 g de tomates concassées
en conserve
> 8 oignons nouveaux (sans
les feuilles)
> 2 lanières de zeste de citron
(sans la peau blanche)
> 1 cuill. à café de paprika doux
> 1 cuill. à café de romarin haché
> 1 feuille de laurier
> 1 cuill. à soupe de cassonade
> 1 cuill. à café de Worcestershire
sauce
> 2 cuill. à soupe de basilic ciselé
> 2 cuill. à soupe de persil plat ciselé

Coupez le plat de côtes en morceaux de 4 cm d'épaisseur. Dégraissez le lard fumé et taillez-le en tout petits dés.

Mettez le bœuf et le lard dans la mijoteuse avec les oignons, l'ail, le piment, le bouillon de bœuf, les tomates concassées, les oignons nouveaux, le zeste de citron, le paprika, le romarin, la feuille de laurier, la cassonade et la Worcestershire sauce. Faites cuire pendant 4 ou 5 heures à chaleur vive.

Dégraissez le plus possible le liquide avant d'ajouter le basilic et le persil. Servez le plat de côtes braisé accompagné d'une purée de pommes de terre ou de polenta.

CARBONADE DE BŒUF

POUR **4 personnes**
PRÉPARATION : **15 min**
CUISSON : **4 h**

> 1,2 kg de bœuf dans le paleron
> 3 oignons hachés
> 1 gousse d'ail pilée
> 1 cuill. à café de cassonade
> 33 cl de bière brune
> 2 feuilles de laurier
> 4 branches de thym
> 2 cuill. à soupe de farine
> 1 poignée de persil plat ciselé
> sel et poivre noir du moulin

Dégraissez le bœuf et coupez-le en cubes de 4 cm de côté. Mettez ceux-ci dans la mijoteuse avec les oignons, l'ail, la cassonade, la bière, le laurier, le thym et la farine. Mélangez, puis salez et poivrez. Faites cuire pendant 4 heures à chaleur vive.

Rectifiez l'assaisonnement, au besoin, avant de parsemer le tout de persil. Servez la carbonade accompagnée de haricots verts ou de courgettes.

BŒUF AU CHOU
ET AUX POMMES DE TERRE

POUR **4 à 6 personnes**
PRÉPARATION : **20 min**
CUISSON : **8 à 10 h**

> 1 petit oignon

> 8 clous de girofle

> 500 g de petites pommes de terre
nouvelles (une douzaine)

> 1 rosbif de 1,5 kg dans le gîte
à la noix (voir NOTE)

> 1 cuill. à soupe de cassonade

> 1 cuill. à soupe de vinaigre de cidre

> 8 grains de poivre noir

> 2 feuilles de laurier

> 500 g de chou frisé coupé
en 4 à 6 quartiers, avec le cœur

Pour la sauce à la moutarde
et au persil

> 1 œuf

> 2 cuill. à soupe de sucre en poudre

> 1 cuill. à soupe de farine

> 1 cuill. à soupe de moutarde

> 4 cuill. à soupe de vinaigre
de cidre

> 2 cuill. à soupe de persil plat ciselé

Pelez l'oignon et piquez-le avec les clous de girofle.

Mettez les pommes de terre dans la mijoteuse sans les superposer et posez le rosbif par-dessus. Mouillez avec de l'eau froide. Ajoutez l'oignon piqué de clous et la cassonade mélangée avec le vinaigre de cidre, les grains de poivre et les feuilles de laurier.

Laissez mijoter de 8 à 10 heures à chaleur douce. Environ 45 minutes avant la fin de la cuisson, disposez les quartiers de chou autour de la viande et poursuivez la cuisson à couvert jusqu'à ce qu'ils soient tendres. Lorsque le bœuf est cuit, posez-le sur un plat et couvrez-le avec une feuille d'aluminium pour le garder au chaud.

Préparez la sauce à la moutarde et au persil. Prélevez 25 cl de liquide dans la mijoteuse et réservez-le. Battez l'œuf et le sucre en poudre dans un petit saladier, puis incorporez la farine et la moutarde, sans cesser de battre. Versez progressivement le liquide réservé et le vinaigre de cidre dans le saladier. Transvasez la préparation dans une petite casserole et faites-la épaissir à feu moyen en remuant. Ajoutez le persil plat.

Découpez la viande en tranches épaisses et dressez celles-ci sur des assiettes. Retirez les pommes de terre et le chou de la mijoteuse à l'aide d'une écumoire et ajouter-les dans les assiettes. Jetez l'oignon. Servez le bœuf au chou, avec la sauce à la moutarde et au persil, accompagné de carottes et de haricots verts cuits à la vapeur.

NOTE : Vous pouvez remplacer le rosbif par du corned-beef. Dans ce cas, commencez par le rincer, essuyez-le avec du papier absorbant, puis dégraissez-le.

STIFATHO

POUR **4 personnes**
PRÉPARATION : **20 min**
CUISSON : **4 h 15**

> 1 kg de bœuf dans le paleron
> 500 g de petits oignons
> 1 gousse d'ail coupée en deux
dans la longueur
> 10 cl de vin rouge
> 10 cl de bouillon de bœuf
> 1 bâton de cannelle
> 4 clous de girofle
> 1 feuille de laurier
> 1 cuill. à soupe de vinaigre
de vin rouge
> 2 cuill. à soupe de concentré
de tomate
> 2 cuill. à soupe de raisins secs
> poivre noir du moulin

Parez le bœuf, puis coupez-le en cubes de 5 cm de côté.
Mettez ceux-ci dans la mijoteuse avec les petits oignons, l'ail,
le vin rouge, le bouillon de bœuf, la cannelle, les clous
de girofle, la feuille de laurier, le vinaigre et le concentré
de tomate. Poivrez et faites cuire pendant 4 heures
à chaleur vive.

Ajoutez les raisins secs, puis prolongez la cuisson
de 15 minutes. Jetez la cannelle et rectifiez, au besoin,
l'assaisonnement.

Servez le stifatho accompagné de riz ou de pommes de terre.

NOTE : le *stifatho* (ou *stifado*) est en quelque sorte
le bœuf bourguignon à la grecque.

BOULETTES DE VIANDE
À LA SAUCE TOMATE

POUR **40 boulettes**
PRÉPARATION : **10 min**
RÉFRIGÉRATION : **12 h**
CUISSON : **3 h**

> 500 g de bœuf haché
> 220 g de riz à grains longs
> 1 oignon haché
> 1 cuill. à café de muscade râpée
> 2 feuilles de laurier
> 10 cl de Worcestershire sauce
> 40 cl de soupe à la tomate
> sel et poivre du moulin

La veille, dans un saladier, mélangez le bœuf avec le riz,
l'oignon et la muscade. Salez et poivrez. Façonnez
des boulettes en prélevant pour chacune 1 $\frac{1}{2}$ cuillerée à soupe
de préparation. Couvrez les boulettes et réservez 12 heures
au réfrigérateur.

Le jour même, mettez les boulettes et les feuilles de laurier
dans la mijoteuse. Couvrez de Worcestershire sauce mélangée
avec la soupe à la tomate. Laissez mijoter pendant 3 heures
à chaleur douce.

Goûtez la sauce et rectifiez, au besoin, l'assaisonnement.
Servez les boulettes de viande accompagnées de légumes
vapeur.

PAIN DE VIANDE
À LA SAUCE TOMATE

POUR **4 à 6 personnes**
PRÉPARATION : **30 min**
CUISSON : **5 ou 6 h**

Pour la sauce tomate
> 250 g de coulis de tomates
> 2 cuill. à soupe de chutney de tomates
> 1 cuill. à soupe de cassonade
> 2 cuill. à café de Worcestershire sauce
> 1 cuill. à soupe de moutarde

Pour le pain de viande
> 1 carotte coupée en dés
> 1 branche de céleri coupée en dés
> 1 poivron rouge (ou vert) épépiné et coupé en dés
> 4 oignons nouveaux hachés
> 150 g de petits pois frais (ou surgelés)
> 1 kg de bœuf haché
> 1 cuill. à café d'origan
> 2 tranches de pain complet sans croûtes et coupées en dés
> 2 œufs battus
> sel et poivre noir du moulin

Préparez la sauce tomate. Mélangez dans un petit saladier le coulis et le chutney de tomates, la cassonade, la Worcestershire sauce et la moutarde. Réservez.

Préparez le pain de viande. Réunissez dans un grand saladier les dés de carotte, de céleri et de poivron, les oignons et les petits pois. Ajoutez le bœuf, l'origan, les dés de pain ; salez et poivrez. Mélangez soigneusement avec les mains.

Versez environ un quart de la sauce tomate dans le pain de viande, ainsi que les œufs battus, puis mélangez le tout. Réservez le reste de la sauce tomate.

Graissez légèrement la cocotte de la mijoteuse avec de l'huile ou du beurre. Découpez une feuille d'aluminium suffisamment grande pour couvrir le fond et les parois de la cocotte.

Mettez le pain de viande dans la cocotte en le tassant et en lissant la surface. Repliez au besoin la feuille d'aluminium pour que le couvercle s'ajuste parfaitement. Posez-le et laissez mijoter pendant 5 ou 6 heures à chaleur douce ; le pain de viande doit se décoller des parois de la cocotte.

Retirez le pain de la cocotte en saisissant les deux extrémités de la feuille d'aluminium et dressez-le sur un plat de service. Réchauffez le reste de sauce tomate dans la mijoteuse, puis nappez-en le pain de viande. Découpez celui-ci en tranches épaisses, puis servez-le accompagné d'une purée de patates douces et d'une salade verte.

AGNEAU GREC
AUX MACARONIS

POUR **4 à 6 personnes**
PRÉPARATION : **30 min**
CUISSON : **2 h 15**

> 1 gigot d'agneau désossé de 1 kg
> 1 gros oignon haché
> 2 gousses d'ail pilées
> 400 g de tomates concassées
en conserve
> 60 g de concentré de tomate
> 50 cl de bouillon de bœuf
> 2 cuill. à soupe de vinaigre
de vin rouge
> 1 cuill. à soupe de cassonade
> 1 cuill. à café d'origan
> 200 g de macaronis
> 125 g de pecorino râpé

Dégraissez l'agneau et coupez-le en cubes de 3 cm de côté. Mettez ceux-ci dans la mijoteuse avec l'oignon, l'ail, les tomates concassées, le concentré de tomate, le bouillon de bœuf, le vinaigre de vin, la cassonade et l'origan. Faites cuire pendant 1 heure 45 à chaleur vive.

Faites tremper les macaronis pendant 10 minutes dans de l'eau bouillante, dans un grand saladier résistant à la chaleur. Égouttez-les, puis ajoutez-les dans la mijoteuse. Mélangez et prolongez la cuisson de 30 minutes ; les pâtes doivent être tendres et le liquide absorbé.

Servez l'agneau aux macaronis parsemé de pecorino râpé dans des assiettes creuses.

AGNEAU BRAISÉ
AU POIVRON ET AU FENOUIL

POUR **4 personnes**
PRÉPARATION : **15 min**
CUISSON : **4 h 10 environ**

> 1 kg d'épaule ou de gigot d'agneau
> 1 gros oignon haché
> 1 poivron rouge épépiné et détaillé
en lanières
> 1 poivron jaune épépiné et détaillé
en lanières
> 2 bulbes de fenouil parés
et coupés en tranches épaisses
> 4 gousses d'ail hachées
> 25 cl de coulis de tomates
> 4 cuill. à soupe de bouillon
de bœuf ou d'eau
> 1 cuill. à soupe de concentré
de tomate
> 1 cuill. à café de Worcestershire
sauce
> 1 cuill. à soupe de fécule de maïs
> feuilles de fenouil
> sel et poivre noir du moulin

Dégraissez l'agneau et coupez-le en cubes de 4 cm de côté. Mettez ceux-ci dans la mijoteuse avec l'oignon, les lanières de poivron rouge et de poivron jaune, les tranches de fenouil, l'ail, le coulis de tomates, le bouillon de bœuf, le concentré de tomate et la Worcestershire sauce. Salez et poivrez, puis faites cuire pendant 4 heures à chaleur vive.

Délayez la fécule de maïs dans un peu d'eau, puis versez-la dans la mijoteuse. Prolongez la cuisson de 5 à 10 minutes pour faire épaissir la sauce.

Servez l'agneau braisé parsemé de feuilles de fenouil.

RAGOÛT DU LANCASHIRE

POUR **4 personnes**
PRÉPARATION : **15 min**
CUISSON : **4 h**

> 4 pommes de terre coupées
en rondelles
> 6 petits oignons entiers pelés
> 1 cuill. à soupe de thym effeuillé
> 1 kg de côtes d'agneau
découvertes
> 2 cuill. à soupe de Worcestershire
sauce
> 10 cl de bouillon de bœuf
> 1 poignée de persil plat ciselé
> sel et poivre noir du moulin

Mélangez les rondelles de pomme de terre, les oignons et le thym dans un grand saladier.

Mettez la préparation dans la mijoteuse. Couvrez avec les côtes d'agneau, puis versez la Worcestershire sauce et le bouillon de bœuf. Faites cuire pendant 4 heures à chaleur vive.

Salez et poivrez, puis ajoutez le persil plat avant de servir.

GIGOT D'AGNEAU GREC À L'ORIGAN

POUR **6 personnes**
PRÉPARATION : **15 min**
CUISSON : **10 h**

> 1 gigot d'agneau de 1,8 kg
> 1 cuill. à soupe d'origan séché
> 8 petites pommes de terre pelées
coupées en deux
> 400 g de tomates concassées
en conserve
> 10 cl de vin rouge
> 25 cl de bouillon de volaille
> 1 lanière de zeste de citron
(sans la peau blanche)
> 2 feuilles de laurier
> 1 cuill. à soupe de jus de citron
> 2 cuill. à soupe d'origan frais haché
> sel et poivre noir du moulin

Mettez l'agneau dans la mijoteuse et parfumez-le avec l'origan. Disposez les pommes de terre tout autour. Versez les tomates concassées, le vin rouge, le bouillon de volaille et 25 cl d'eau. Poivrez, ajoutez le zeste de citron et les feuilles de laurier, puis laissez mijoter pendant 10 heures à chaleur douce.

Dressez l'agneau et les pommes de terre sur un plat. Dégraissez la sauce, puis mélangez-la avec le jus de citron et l'origan frais. Salez et poivrez, puis versez la sauce sur l'agneau avant de servir.

CÔTES D'AGNEAU
À LA RATATOUILLE

POUR **4 à 6 personnes**
PRÉPARATION : **30 min**
CUISSON : **7 h à 7 h 30**

> 1 kg de côtes d'agneau
découvertes
> 1 aubergine coupée en cubes
de 2 cm de côté
> 1 poivron rouge coupé
en cubes de 2 cm de côté
> 1 poivron vert coupé en cubes
de 2 cm de côté
> 1 oignon rouge coupé en cubes
de 1 cm de côté
> 2 cuill. à soupe de câpres
> 4 anchois hachés
> 80 g d'olives de Kalamata
dénoyautées et hachées
(voir NOTE)
> 60 g de concentré de tomate
> 2 gousses d'ail hachées
> 400 g de tomates concassées
en conserve
> 150 g de couscous
> 1 petite poignée de persil
plat ciselé
> sel et poivre noir du moulin

Dégraissez les côtes d'agneau et coupez-les en morceaux. Réunissez dans la mijoteuse les cubes d'aubergine, de poivron rouge et de poivron vert et d'oignon, les câpres, les anchois, les olives de Kalamata, le concentré de tomate, l'ail et les tomates concassées. Couvrez avec les côtes d'agneau. Laissez mijoter de 6 heures à 6 heures 30 à chaleur douce, en remuant de temps en temps.

Ajoutez le couscous et prolongez la cuisson de 1 heure.

Salez et poivrez, puis parsemez les côtes d'agneau à la ratatouille de persil plat avant de servir.

NOTE : les olives de Kalamata sont des olives de table au vinaigre de vin, produites en Grèce. À défaut d'olives de Kalamata, vous pouvez utiliser des olives noires.

CÔTES D'AGNEAU
AUX POMMES DE TERRE
ET PETITS POIS

POUR **4 personnes**
PRÉPARATION : **15 min**
CUISSON : **4 h environ**

> 1,2 kg de côtes
d'agneau découvertes
> 4 pommes de terre coupées
en rondelles
> 2 gousses d'ail pilées
> 240 g de chutney de tomates
> 400 g de tomates concassées
en conserve
> 10 cl de vin rouge
> 10 cl de bouillon de volaille
> 2 branches de romarin
> 80 g de petits pois frais
ou surgelés
> sel et poivre noir du moulin

Dégraissez l'agneau puis mettez-le dans la mijoteuse avec les rondelles de pomme de terre.

Dans un saladier, mélangez l'ail, le chutney de tomates, les tomates concassées, le vin rouge, le bouillon de volaille et le romarin. Versez cette préparation dans la mijoteuse et faites cuire pendant 4 heures à feu vif ; les pommes de terre doivent être tendres et la viande doit se détacher des os.

Ajoutez les petits pois, puis prolongez la cuisson de 5 minutes.

Salez et poivrez à votre convenance avant de servir.

RAGOÛT IRLANDAIS

POUR **6 personnes**
PRÉPARATION : **25 min**
CUISSON : **4 h 30**

> 600 g de pommes de terre
coupées en rondelles épaisses
> 3 carottes coupées
en rondelles épaisses
> 1 petit blanc de poireau coupé
en rondelles épaisses
> 150 g de chou frisé détaillé
en lanières
> 4 tranches de bacon coupées
en lanières
> 1 oignon coupé en quartiers
> 8 tranches de collier d'agneau
> 40 cl de bouillon de bœuf
> 2 cuill. à soupe de persil plat ciselé
> sel et poivre noir du moulin

Dans la mijoteuse, superposez la moitié des rondelles de pomme de terre, de carotte et de blanc de poireau, des lanières de chou et de bacon et des quartiers d'oignon. Couvrez avec l'agneau, puis ajoutez par-dessus le reste des légumes et du bacon.

Mouillez avec le bouillon de bœuf. Laissez mijoter pendant 4 heures 30 à chaleur douce ; l'agneau doit être bien tendre et la sauce légèrement réduite.

Salez et poivrez, au besoin. Servez le ragoût irlandais parsemé de persil plat dans des assiettes creuses.

GIGOT D'AGNEAU
EN CROÛTE D'AIL

POUR **4 personnes**
PRÉPARATION : **30 min**
CUISSON : **5 h 15 à 6 h 15**

> 4 pommes de terre coupées
en deux
> 250 g de patates douces coupées
en morceaux de 5 cm d'épaisseur
> 150 g de petites aubergines
longues, coupées en morceaux
de 5 cm d'épaisseur
> 2 tomates coupées en quatre
> 1 gigot d'agneau de 1,5 kg
> 1 cuill. à soupe de fécule de maïs

Pour la croûte d'ail
> 2 ou 3 gousses d'ail
> 1 cuill. à café de sel
> 1 cuill. à soupe d'huile d'olive
> 1 cuill. à café d'origan séché
> poivre noir du moulin

Préparez la croûte d'ail. Dans un petit saladier, écrasez l'ail avec le sel jusqu'à obtention d'une pâte. Ajoutez l'huile d'olive et l'origan, puis poivrez généreusement.

Mettez les morceaux de pomme de terre, de patate douce et d'aubergine ainsi que les quartiers de tomate dans la mijoteuse.

Rincez et essuyez le gigot d'agneau avec du papier absorbant, puis dégraissez-le. Frottez-le avec la préparation à l'ail. Posez le gigot sur les légumes, dans la mijoteuse. Couvrez et laissez mijoter de 5 à 6 heures à chaleur douce.

Sortez le gigot et mettez-le sur un grand plat, couvrez-le d'une feuille d'aluminium et laissez-le reposer pendant 10 minutes. Dressez les légumes sur un plat de service, à l'aide d'une écumoire.

Dégraissez le jus de cuisson et augmentez la température de la mijoteuse. Délayez la fécule de maïs dans 1 cuillerée à soupe d'eau, puis versez le mélange dans la mijoteuse. Laissez épaissir la sauce de 10 à 15 minutes à chaleur vive, en remuant, puis versez-la dans une saucière.

Découpez le gigot en gros morceaux et servez avec les légumes et la sauce.

RECETTES POUR RECEVOIR

FIDEUA

POUR **4 à 6 personnes**
PRÉPARATION : **30 min**
CUISSON : **3 h environ**

> 300 g de gambas crues
> 300 g de filets de poisson
à chair blanche et ferme
> 200 g de calmars
> 1 kg de moules
> 1 oignon finement haché
> 1 gousse d'ail finement hachée
> le jus de 400 g de tomates
en conserve
> 1/2 cuill. à café de piment
en poudre
> 2 cuill. à soupe d'origan haché
> 125 g de pâtes fideos
(dans le rayon cuisine du monde
des supermarchés, voir NOTE)
> persil plat ciselé

Décortiquez les gambas, en gardant la tête et la queue. Retirez délicatement la veine noire sur le dos, à partir de la tête. Coupez les filets de poisson en morceaux de 3 cm de long. Détaillez les calmars en anneaux de 1 cm d'épaisseur. Grattez les moules avec une brosse rigide et ôtez les filaments. Jetez celles qui sont cassées ou entrouvertes, et qui ne se referment pas quand vous les frappez sur le plan de travail.

Réunissez dans la mijoteuse les gambas, les morceaux de poisson, les anneaux de calmar, les moules, l'oignon, l'ail, le jus de tomate, le piment et l'origan. Faites cuire pendant 2 heures à chaleur vive.

Coupez les pâtes en sections de 5 cm de long. Faites-les ramollir pendant 10 minutes dans de l'eau bouillante, dans un grand saladier résistant à la chaleur, puis égouttez-les.

Ajoutez les pâtes dans la mijoteuse, puis poursuivez la cuisson pendant 1 heure à chaleur douce.

Servez la fideua parsemée de persil ciselé et accompagnée de tortillas chaudes.

NOTE : la *fideua*, plat espagnol et mexicain, doit son nom à la variété de pâtes très fines, les fideos, qui entrent dans sa composition. Celles-ci peuvent être remplacées par des nouilles vermicelles ou des capellini (cheveux d'ange).

SAUMON EN CROÛTE DE RAIFORT AUX LENTILLES DU PUY

POUR **4 personnes**
PRÉPARATION : **25 min**
CUISSON : **4 h 15 environ**

> 400 g de lentilles vertes du Puy
> 50 cl de bouillon de légumes
> le jus et le zeste râpé de 1 citron
> 1 petit piment vert finement haché
> 80 g de chapelure
> 2 cuill. à soupe de raifort frais râpé
ou de sauce au raifort
> 4 cuill. à soupe d'aneth haché
> 10 g de beurre fondu
> 4 filets de saumon
de 180 g chacun
> 50 g d'épinards équeutés
et hachés
> 1 poignée de coriandre
> 125 g de yaourt
> quartiers de citron

Réunissez dans la mijoteuse les lentilles, le bouillon de légumes, le jus et le zeste de citron, ainsi que le piment vert. Faites cuire pendant 3 heures à chaleur vive.

Mixez finement la chapelure et le raifort dans le bol d'un robot. Incorporez l'aneth et le beurre fondu jusqu'à obtention d'une préparation moelleuse.

Retirez les arêtes du saumon avec vos doigts ou des pinces, puis étalez la préparation à la chapelure sur les filets.

Dans une grande poêle antiadhésive, faites cuire les filets de saumon pendant 3 minutes à feu moyen sur le côté recouvert de chapelure, en procédant au besoin en plusieurs fois. La croûte doit être bien dorée.

Ajoutez les épinards dans la mijoteuse, puis posez les filets de saumon par-dessus. Laissez mijoter environ 1 heure à chaleur douce, jusqu'à ce que le poisson s'effeuille. Dressez-le sur des assiettes de service.

Mélangez la coriandre avec les lentilles et les épinards, puis répartissez le tout sur les assiettes. Garnissez les filets de saumon d'un peu de yaourt et servez-les avec les quartiers de citron.

ZARZUELA

POUR **6 personnes**
PRÉPARATION : **40 min**
CUISSON : **3 h 30**

> 25 cl de vin blanc sec
> 1 grosse pincée de filaments de safran
> 3 gousses d'ail finement émincées
> 1 blanc de poireau finement émincé
> 1 poivron rouge épépiné et finement émincé
> 1 poivron vert épépiné et finement émincé
> 2 cuill. à café de paprika
> 400 g de tomates concassées en conserve
> 20 g d'amandes mondées et finement hachées
> 1 feuille de laurier
> 1 petit piment rouge épépiné et haché
> 4 cuill. à soupe de cognac
> 2 cuill. à soupe de jus de citron
> 1,5 l de fumet de poisson (ou de bouillon de volaille)
> 500 g de filets de poisson à chair blanche et ferme, sans la peau (lotte ou espadon, par exemple)
> 500 g de poches de calmar
> 12 moules
> 12 clams (ou palourdes)
> 12 gambas crues
> 3 gros brins de persil

Pour la sauce Romesco
> 80 g d'amandes mondées
> 285 g de poivrons rouges grillés en conserve, égouttés et rincés
> 2 cuill. à café de paprika doux
> 2 tranches de pain rassis coupées en morceaux
> 2 gousses d'ail grossièrement hachées
> 2 cuill. à soupe de vinaigre de xérès
> 10 cl d'huile d'olive

Réunissez dans la mijoteuse le vin blanc, le safran, l'ail, le blanc de poireau, les poivrons rouge et vert, le paprika, les tomates concassées, les amandes, la feuille de laurier, le piment rouge, le cognac, le jus de citron et le fumet de poisson (ou le bouillon de volaille). Faites cuire pendant 3 heures à chaleur vive.

Coupez les filets de poisson en cubes de 2 cm de côté. Nettoyez les poches de calmar et détaillez-les en anneaux. Grattez les moules et les palourdes avec une brosse rigide. Détachez les filaments des moules. Jetez les moules et les palourdes cassées ou entrouvertes, et qui ne se referment pas lorsque vous les tapez contre le plan de travail. Décortiquez les gambas en gardant la queue et retirez la veine noire sur le dos à partir de la tête.

Ajoutez les cubes de poisson, les fruits de mer et le persil dans la mijoteuse, puis prolongez la cuisson de 30 minutes. Les moules et les clams (ou les palourdes) doivent être ouvertes ; jetez celles qui restent fermées. Retirez le persil.

Préparez la sauce Romesco. Mixez finement les amandes et les poivrons avec le paprika, les morceaux de pain, l'ail et le vinaigre de xérès dans le bol d'un robot. Ajoutez l'huile d'olive jusqu'à obtention d'une sauce épaisse.

Versez une partie de la sauce Romesco dans la préparation pour l'épaissir légèrement. Servez la *zarzuela* arrosée du reste de sauce dans des bols individuels accompagnée de petits croûtons frits à l'huile d'olive.

NOTE : la *zarzuela* est un ragoût de fruits de mer et de poissons, emblématique de la cuisine catalane.

POULET AU VIN BLANC

POUR **4 personnes**
PRÉPARATION : **30 min**
CUISSON : **6 h**

> 1 poulet de 1,5 kg
> 20 cl de bouillon de volaille
> 20 cl de vin blanc

Pour la farce
> 40 g de chapelure
> 4 gousses d'ail pilées
> 3 branches de romarin hachées
> 1 cuill. à café de zeste
de citron râpé

Préparez la farce. Mélangez la chapelure, l'ail, le romarin et le zeste de citron.

Rincez l'intérieur et l'extérieur du poulet, puis essuyez-le avec du papier absorbant. Garnissez l'intérieur de farce, sans trop la tasser. Attachez les pattes avec de la ficelle ou une brochette pour maintenir la farce à l'intérieur.

Versez le bouillon de volaille et le vin blanc dans une petite casserole, puis portez à ébullition. Retirez du feu.

Posez le poulet farci sur la poitrine, dans la mijoteuse, puis versez le mélange bouillon-vin. Laissez mijoter pendant 6 heures à chaleur douce. Pour vérifier la cuisson du poulet, piquez-le dans une cuisse ; le jus qui perle doit être transparent.

Découpez le poulet, puis servez-le accompagné de pommes de terre au beurre ou de légumes verts.

HOWTOWDIE

POUR **4 à 6 personnes**
PRÉPARATION : **40 min**
CUISSON : **4 h environ**

> 1 poulet de 1,8 kg
> 1 blanc de poireau émincé
> 1 feuille de laurier
> 1 pincée de clous de girofle broyés
> 1 pincée de muscade râpée
> 50 cl de bouillon de volaille

Pour la farce
> 85 g de flocons d'avoine
> 2 cuill. à soupe de saindoux
en lamelles (au rayon charcuterie
des supermarchés
ou chez le boucher, voir NOTES)
> 1 petit oignon finement haché
> 1 $\frac{1}{2}$ cuill. à soupe de persil
plat ciselé
> 1/2 cuill. à café de zeste de citron
finement râpé
> 1 $\frac{1}{2}$ cuill. à soupe de whisky
sel et poivre noir du moulin

Pour la sauce
> 1 ou 2 foies de volaille hachés
> 4 cuill. à soupe de crème fraîche
épaisse

Préparez la farce. Faites dorer les flocons d'avoine dans une poêle à feu moyen, puis mettez-les dans un saladier. Faites fondre le saindoux dans la poêle. Dès qu'il bouillonne, ajoutez l'oignon et faites-le blondir pendant 5 minutes. Mélangez grossièrement l'oignon avec les flocons d'avoine, puis le persil plat, le zeste de citron râpé et le whisky. Si la farce est trop sèche, mouillez-la avec 1 cuillerée à soupe d'eau ou de bouillon de volaille. Salez et poivrez, puis laissez refroidir complètement.

Rincez l'intérieur et l'extérieur du poulet, puis laissez-le sécher. Garnissez l'intérieur du poulet de farce, sans trop la tasser. Attachez les pattes avec de la ficelle ou une brochette pour maintenir la farce à l'intérieur. Mettez le poulet dans la mijoteuse avec le blanc de poireau, la feuille de laurier, le girofle, la muscade et le bouillon de volaille. Laissez mijoter pendant 4 heures à chaleur douce. Pour vérifier la cuisson du poulet, piquez-le dans une cuisse : le jus qui perle doit être transparent.

Déposez le poulet sur un plat et couvrez-le pour le garder au chaud pendant la préparation de la sauce.

Préparez la sauce. Réduisez le ou les foies de volaille en purée à l'aide d'un mixeur. Videz en partie le liquide de la mijoteuse (laissez-en environ 25 cl). Ajoutez la purée de foie dans la mijoteuse, et remuez pour bien l'amalgamer. Incorporez la crème fraîche, puis faites chauffer quelques minutes, sans laisser bouillir. (Pour obtenir une sauce plus onctueuse, filtrez le liquide de cuisson avant d'y ajouter la purée de foie et la crème.)

Servez le poulet entier ou découpé, nappé de sauce, avec un peu de farce à côté. Accompagnez-le de légumes verts comme des épinards ou des haricots verts.

NOTES :
• Le *howtowdie* est une recette écossaise de poulet rôti, garni d'une farce aux flocons d'avoine.
• Le saindoux est une matière grasse, blanche et ferme extraite du lard ou de la panne de porc.

POULET À L'AIGRE-DOUCE ✓

POUR **6 personnes**
PRÉPARATION : **10 minutes**
CUISSON : **3 h 30**

> 1,2 kg de découpes de poulet,
sans la peau
1,5kg

> 1 gousse d'ail

20ml > 1 cuill. à soupe d'origan séché

> 2 feuilles de laurier

13cl > 10 cl de vinaigre de vin rouge

13cl > 10 cl de vin blanc sec

66g > 50 g de cassonade

293g > 220 g de pruneaux dénoyautés

> 2 cuill. à soupe de câpres rincées *40mL*

233g > 175 g d'olives vertes

> 1 poignée de persil plat ciselé

> sel et poivre noir du moulin

Réunissez dans la mijoteuse les morceaux de poulet, l'ail, l'origan, les feuilles de laurier, le vinaigre de vin, le vin blanc et la cassonade. Laissez mijoter pendant 3 heures à chaleur douce.

Ajoutez les pruneaux, les câpres et les olives vertes, puis prolongez la cuisson de 30 minutes.

Salez et poivrez, puis parsemez le poulet de persil plat avant de le servir accompagné d'une purée de pommes de terre.

POULET AU CÉLERI-RAVE ET À LA MARJOLAINE

POUR **6 personnes**
PRÉPARATION : **10 min**
CUISSON : **3 h**

> 1 kg de cuisses de poulet
désossées, sans la peau

> 1 blanc de poireau émincé

> 1 gousse d'ail pilée

> 1 gros céleri-rave épluché
et coupé en dés

> 25 cl de bouillon de volaille

> 2 petites branches de marjolaine

> 30 cl de crème fraîche liquide

> 1 poignée de persil plat ciselé

> sel et poivre noir du moulin

Dégraissez les cuisses de poulet et coupez-les en quatre. Mettez-les dans la mijoteuse avec le blanc de poireau, l'ail, les dés de céleri-rave, le bouillon de volaille et la marjolaine. Faites cuire pendant 2 heures 30 à chaleur vive.

Versez la crème fraîche et prolongez la cuisson de 30 minutes.

Salez et poivrez. Parsemez le poulet de persil plat avant de le servir accompagné de légumes comme des asperges cuites à la vapeur.

COQ AU VIN

POUR **8 personnes**
PRÉPARATION : **20 min**
CUISSON : **3 h 45 environ**

> 2 poulets de 1,5 kg chacun
(voir NOTE)
> 2 feuilles de laurier
> 2 branches de thym
> 250 g de lardons
> 20 petits oignons pelés
> 40 cl de vin rouge
> 1 l de bouillon de volaille
> 10 cl de cognac
> 2 cuill. à café de concentré
de tomate
> 250 g de champignons de Paris
> 60 g de beurre ramolli
> 40 g de farine

Découpez chaque poulet en huit morceaux en procédant comme suit : détachez les cuisses, puis tranchez entre le pilon et le haut-de-cuisse. Incisez de part et d'autre de la colonne vertébrale, puis retirez-la. Retournez le poulet et coupez entre les blancs. Partagez chaque blanc en deux, en laissant les ailes attachées.

Mettez les morceaux de poulet dans la mijoteuse avec les feuilles de laurier, le thym, les lardons, les oignons, le vin rouge, le bouillon de volaille, le cognac et le concentré de tomate. Faites cuire pendant 3 heures à chaleur vive, jusqu'à ce que le poulet soit presque tendre.

Ajoutez les champignons de Paris et prolongez la cuisson de 30 minutes.

Déposez les morceaux de poulet et la garniture sur un plat, couvrez et réservez.

Mélangez le beurre ramolli et la farine avant de les incorporer, à l'aide d'un fouet, dans le liquide de cuisson de la mijoteuse. Laissez épaissir pendant 10 minutes à chaleur vive, puis réchauffez le poulet et sa garniture dans la sauce.

Servez le coq au vin accompagné de pommes de terre vapeur.

NOTE : le coq est devenu une volaille rare et les recettes de coq au vin sont généralement réalisées avec une poule assez âgée ou un poulet. On trouve parfois des « coqs à rôtir » qui sont des poulets de 1,6 kg à 2 kg.

POULET À L'ESTRAGON ET AU FENOUIL

POUR **6 personnes**
PRÉPARATION : **25 min**
CUISSON : **6 h**

> 300 g de pommes de terre
> 1 gros bulbe de fenouil
> 1 oignon rouge
> 1 poulet de 1,8 kg
> 1 citron
> 2 ou 3 cuill. à soupe d'huile d'olive
> 4 gousses d'ail finement hachées
> 3 branches d'estragon
> 10 cl de bouillon de volaille
> 10 cl de jus de citron
> 250 g de tomates cerises
> 2 cuill. à soupe de persil plat ciselé
> sel et poivre du moulin

Pelez les pommes de terre et coupez-les en morceaux, couvrez-les d'eau et réservez.

Retirez l'extérieur coriace du bulbe de fenouil. Partagez-le en 8 à 10 quartiers, en les laissant attachés à la base pour les maintenir ensemble. Pelez l'oignon et coupez-le en 8 à 10 quartiers, sans les détacher de la base.

Rincez l'intérieur et l'extérieur du poulet, puis essuyez-le avec du papier absorbant. Partagez le citron en deux et glissez les moitiés à l'intérieur du poulet. Salez le poulet et réservez.

Faites chauffer l'huile d'olive à feu moyen dans une poêle antiadhésive. Faites dorer les quartiers de fenouil et d'oignon 5 minutes en plusieurs fois, au besoin. Ajoutez l'ail, baissez le feu et laissez-le blondir 2 minutes.

Égouttez les pommes de terre puis mettez-les dans la mijoteuse avec le fenouil, l'oignon et l'ail. Couvrez le tout avec les branches d'estragon.

Faites dorer le poulet 3 minutes de chaque côté dans la poêle, à feu moyen, puis déposez-le sur les légumes, dans la mijoteuse. Versez le bouillon de volaille, le jus de citron et ajoutez les tomates cerises. Laissez mijoter pendant 6 heures à chaleur douce. Pour vérifier la cuisson du poulet, piquez-le dans une cuisse : le jus qui perle doit être transparent.

Salez et poivrez, puis parsemez le poulet de persil plat avant de le servir.

CANARD AUX POIRES
À L'ESPAGNOLE

POUR **4 personnes**
PRÉPARATION : **30 min**
CUISSON : **5 h 10**

> 1 canard de 2 kg
> 1 pincée de muscade râpée
> 1/2 cuill. à café de paprika fumé
> 1 pincée de clous de girofle
réduits en poudre
> 2 poires fermes pelées, coupées
en quatre et évidées
> 8 échalotes pelées
> 8 petites carottes épluchées
en laissant la base de la tige
> 2 gousses d'ail émincées
> 1 feuille de laurier
> 1 branche de thym
> 1 bâton de cannelle
> 6 cuill. à soupe de xérès
> 75 cl de bouillon de volaille
> 100 g d'amandes grillées
> 25 g de chocolat noir amer
coupé en morceaux
> sel et poivre noir du moulin

Dégraissez le canard avant de le découper en huit morceaux. Dans un petit saladier, mélangez la muscade, le paprika, le girofle, salez et poivrez. Saupoudrez les morceaux de canard de ce mélange.

Mettez les morceaux de canard dans la mijoteuse avec les quartiers de poire, les échalotes et les carottes. Ajoutez l'ail, la feuille de laurier, le thym, la cannelle, le xérès et le bouillon de volaille. Laissez mijoter environ 5 heures à chaleur douce, jusqu'à ce que le canard soit tendre. Dégraissez le jus de cuisson.

Mixez finement les amandes grillées avec les morceaux de chocolat dans le bol d'un robot. Réservez dans un petit saladier.

Dressez le canard, les poires, les échalotes, les carottes et le bâton de cannelle sur un plat de service. Couvrez le tout et gardez au chaud.

Faites frémir le liquide contenu dans la mijoteuse pendant 10 minutes à découvert. Prélevez-en 25 cl pour les mélanger avec les amandes et le chocolat. Versez la préparation dans la mijoteuse et faites épaissir la sauce en fouettant. Vérifiez l'assaisonnement, puis arrosez le canard de sauce avant de le servir.

LAPIN À LA MOUTARDE

POUR **6 à 8 personnes**
PRÉPARATION : **20 min**
CUISSON : **3 h 15**

> 60 g de farine
> 1 lapin de 2 kg coupé en morceaux
> 1 cuill. à soupe d'huile d'olive
> 20 g de beurre
> 200 g de lardons
> 25 cl de vin blanc
> 1 oignon finement haché
> 2 carottes coupées en petits morceaux
> 1 gousse d'ail pilée
> 25 cl de bouillon de volaille
> 3 cuill. à soupe de moutarde
> 2 feuilles de laurier
> 30 cl de crème fraîche liquide
> quelques feuilles de persil plat
> sel et poivre noir du moulin

Mettez la farine dans un plat et assaisonnez-la généreusement de sel et de poivre. Enrobez les morceaux de lapin de cette préparation. Faites chauffer l'huile d'olive et le beurre dans une grande poêle à feu moyen, puis faites dorer les morceaux de lapin 3 ou 4 minutes de chaque côté. Mettez-les ensuite dans la mijoteuse.

Faites revenir les lardons pendant 5 minutes dans la poêle, puis mettez-les dans la mijoteuse. Videz la graisse de la poêle, versez le vin blanc et grattez le fond de la poêle. Transvasez le vin dans la mijoteuse.

Ajoutez l'oignon, les morceaux de carotte, l'ail, le bouillon de volaille, la moitié de la moutarde, les feuilles de laurier et la crème fraîche. Laissez mijoter pendant 3 heures à chaleur douce, jusqu'à ce que le lapin soit tendre.

Incorporez le reste de moutarde, salez et poivrez. Parsemez le lapin à la moutarde de feuilles de persil plat avant de le servir accompagné de pommes de terre en robe des champs.

RÔTI DE PORC À L'ORANGE ET À L'ANIS ÉTOILÉ

POUR **6 personnes**
PRÉPARATION : **20 min**
CUISSON : **4 h 10 environ**

> 1 bouquet de persil plat
> 1 cuill. à soupe de cannelle en poudre
> 1 cuill. à soupe de gingembre frais râpé
> 2 gousses d'ail pilées
> 1 rôti de porc de 1,5 kg dans l'échine
> 1 orange pelée et coupée en quartiers
> 5 ou 6 cuill. à soupe d'huile d'olive
> 4 gousses d'anis étoilé
> sel et poivre noir du moulin

Faites tremper le persil plat dans de l'eau bouillante, dans un saladier résistant à la chaleur. Filtrez, puis mettez les feuilles ébouillantées dans le bol d'un robot avec la cannelle, le gingembre et l'ail. Mixez jusqu'à obtention d'une pâte.

Incisez le rôti dans la longueur, à mi-hauteur, puis ouvrez-le complètement sur le plan de travail. Garnissez-le du mélange au persil et alignez les quartiers d'orange au milieu. Refermez soigneusement le rôti. Enroulez de la ficelle tout autour à intervalles réguliers pour préserver sa forme. Badigeonnez-le d'huile d'olive, puis salez et poivrez généreusement.

Faites chauffer le reste d'huile dans une cocotte, puis mettez le rôti à dorer 4 minutes de chaque côté à feu vif.

Placez le rôti dans la mijoteuse avec l'anis étoilé et faites-le cuire pendant 4 heures à chaleur vive.

Salez, poivrez, puis servez le rôti à l'orange accompagné d'une purée de patates douces.

CÔTES DE PORC AU LAIT

POUR **6 personnes**
PRÉPARATION : **15 min**
CUISSON : **6 h 05**

> 6 côtes de porc dans le filet (2 kg)
> 6 petites pommes de terre pelées et coupées en deux
> 1 gros bulbe de fenouil coupé en gros quartiers
> 2 gousses d'ail coupées en deux dans la hauteur
> 2 branches de romarin
> 1 l de lait
> le zeste râpé de 2 citrons
> le jus de 1 citron
> sel et poivre du moulin

Dégraissez en partie les côtes de porc. Mettez-les dans la mijoteuse avec les morceaux de pommes de terre, les quartiers de fenouil, l'ail, le romarin, le lait, ainsi que le zeste et le jus de citron. Laissez mijoter pendant 6 heures à chaleur douce, jusqu'à ce que le porc soit tendre.

Dressez les côtes de porc et les légumes sur un plat de service. Couvrez-les d'une feuille d'aluminium et laissez reposer 10 minutes.

Augmentez la température de la mijoteuse et faites réduire le liquide de cuisson à chaleur vive. Rectifiez l'assaisonnement au besoin.

Filtrez la sauce au lait, si elle ne vous paraît pas suffisamment onctueuse, puis servez-la avec les côtes de porc et les légumes.

CÔTES DE PORC À LA PANCETTA ET AUX PATATES DOUCES

POUR **4 personnes**
PRÉPARATION : **20 min**
CUISSON : **4 h 10 à 5 h 10**

> 4 côtes de porc dans le filet (environ 1 kg)
> 90 g de pancetta de 1 cm d'épaisseur, coupée en dés
> 6 oignons blancs coupés en deux dans la longueur (avec 3 cm de feuilles)
> 2 gousses d'ail hachées
> 350 g de patates douces violettes coupées en morceaux de 5 cm
> 25 cl de cidre
> 1 bâton de cannelle
> 1 cuill. à soupe de fécule de maïs
> 2 cuill. à soupe de persil plat ciselé
> sel et poivre noir du moulin

Dégraissez les côtes de porc, puis assaisonnez-les de sel et de poivre.

Mettez-les dans la mijoteuse avec les dés de pancetta, les oignons, l'ail, les morceaux de patates douces, le cidre et la cannelle. Faites cuire de 4 à 5 heures à chaleur vive, jusqu'à ce que la viande soit tendre.

Déposez les côtes de porc sur un plat de service avec les légumes. Retirez le bâton de cannelle. Couvrez-les d'une feuille d'aluminium et réservez.

Délayez la fécule de maïs dans un peu d'eau avant de la mélanger avec le liquide, dans la mijoteuse. Prolongez la cuisson de 5 à 10 minutes pour faire épaissir la sauce.

Servez les côtes de porc à la pancetta avec les légumes arrosés de sauce et parsemés de persil plat.

FILET DE PORC AU CHOU ET AUX POMMES DE TERRE

POUR **6 personnes**
PRÉPARATION : **30 min**
CUISSON : **4 h 15**

> 2 cuill. à café de graines de fenouil
> 2 cuill. à café de graines de carvi
> 1 cuill. à café de gros sel
> 1/2 cuill. à café de paprika
> 1 rôti de porc de 1,2 kg dans le filet, désossé
> 1 cuill. à soupe d'huile d'olive
> 1 tranche de bacon coupée en petits dés
> 1 petit oignon finement émincé
> 1 cuill. à soupe de moutarde
> 6 cl de vin blanc
> 4 cuill. à soupe de bouillon de volaille
> 1 cuill. à soupe de vinaigre
> 10 cl de crème fraîche liquide
> 3 pommes de terre pelées
> 1/2 petit chou rouge détaillé en fines lanières
> sel du moulin

À l'aide d'un mortier et d'un pilon ou d'un moulin à épices, pilez ou broyez les graines de fenouil et de carvi avec le gros sel et le paprika. Glissez les trois quarts du mélange à l'intérieur du rôti de porc, par les extrémités. Saupoudrez le reste en surface.

Faites chauffer l'huile d'olive dans une grande poêle antiadhésive, à feu moyen. Faites dorer le rôti environ 1 minute de chaque côté, puis réservez.

Faites sauter les dés de bacon et l'oignon pendant 3 minutes dans la poêle. Ajoutez la moutarde, le vin blanc, le bouillon de volaille, le vinaigre et la crème fraîche. Remuez, puis retirez du feu.

Coupez les pommes de terre en rondelles très fines. Superposez-les au fond de la mijoteuse, en salant chaque couche. Couvrez avec les lanières de chou, versez la préparation au bacon et à la crème, puis ajoutez le rôti. Laissez mijoter environ 4 heures à chaleur douce, jusqu'à ce que le porc soit bien tendre.

Découpez le rôti sur une planche. Servez-le avec les pommes de terre et le chou, en arrosant le tout de sauce.

VEAU AU PROSCIUTTO ET SAUCE TOMATE AUX OLIVES

POUR **4 personnes**
PRÉPARATION : **30 min**
CUISSON : **6 à 8 h**

> 6 escalopes de veau de 150 g chacune
> 6 tranches de prosciutto dégraissées (voir NOTE)
> 50 g de parmesan fraîchement râpé
> le zeste finement râpé de 1 citron
> 24 feuilles de sauge
> 1 cuill. à soupe d'huile d'olive
> 20 g de beurre
> 1 cuill. à soupe de fécule de maïs (facultatif)
> poivre du moulin

Pour la sauce tomate aux olives
> 400 g de tomates concassées en conserve
> 2 tomates séchées hachées
> 2 oignons nouveaux hachés
> 2 gousses d'ail pilées
> 10 olives noires dénoyautées et hachées
> 1 cuill. à café de sucre en poudre
> sel et poivre noir du moulin

Préparez la sauce tomate aux olives. Dans un saladier, mélangez les tomates concassées, les tomates séchées, les oignons, l'ail, les olives noires et le sucre en poudre. Salez et poivrez, puis versez la moitié de la sauce dans la mijoteuse et réservez le reste.

Mettez chaque escalope de veau entre deux films alimentaires, puis aplatissez-les avec un maillet à viande de sorte qu'elles mesurent environ 25 cm x 10 cm et 5 mm d'épaisseur. Retirez les films alimentaires.

Posez les tranches de prosciutto sur les escalopes. Répartissez dessus le parmesan, le zeste de citron et la moitié des feuilles de sauge. Poivrez. Enroulez les escalopes et maintenez-les à l'aide de bâtonnets à cocktail.

Faites chauffer l'huile d'olive et le beurre dans une grande poêle, puis faites dorer les rouleaux de viande pendant 5 minutes, en les retournant régulièrement. Posez-les sur la sauce tomate aux olives, dans la mijoteuse, en les serrant bien, puis nappez-les du reste de sauce tomate. Laissez mijoter de 6 à 8 heures à chaleur douce, jusqu'à ce que la viande soit tendre.

Déposez les rouleaux sur un plat, retirez les bâtonnets, couvrez-les et réservez au chaud.

Si vous souhaitez épaissir la sauce, délayez la fécule de maïs dans 1 cuillerée à soupe d'eau, puis versez ce mélange dans la mijoteuse. Laissez chauffer à chaleur vive.

Coupez chaque rouleau en biais en trois ou quatre tranches épaisses et dressez-les sur des assiettes. Nappez-les de sauce tomate et parsemez-les du reste de feuilles de sauge. Servez le veau au prosciutto accompagné de polenta, d'une purée de pommes de terre, de légumes verts ou d'une salade.

NOTE : le mot *prosciutto* désigne le jambon en italien. On l'utilise en France dans les appellations de jambons crus d'origine italienne comme le *prosciutto di Parma* ou *di San Daniele*.

VEAU BRAISÉ
AU THYM CITRON

POUR **4 personnes**
PRÉPARATION : **15 min**
CUISSON : **3 h 10**

> 2 cuill. à soupe d'huile d'olive
> 1 carré de veau de 1,5 kg (6 côtes)
> 2 blancs de poireau
finement émincés
> 30 g de beurre
> 1 cuill. à soupe de farine
> 1 cuill. à soupe de zeste
de citron râpé
> 10 cl de bouillon de volaille
> 10 cl de vin blanc
> 2 cuill. à soupe de thym citron
> 10 cl de crème fraîche liquide
> sel et poivre noir du moulin

Faites chauffer l'huile d'olive dans une grande poêle à feu moyen, puis faites dorer la viande uniformément. Déposez celle-ci dans la mijoteuse.

Dans la même poêle à feu doux, faites revenir les blancs de poireau 10 minutes avec le beurre. Ajoutez la farine et remuez pendant 2 minutes. Assaisonnez du zeste de citron et de poivre. Versez le bouillon de volaille et le vin blanc, puis portez à ébullition, sans cesser de remuer.

Ajoutez la préparation aux poireaux dans la mijoteuse. Laissez mijoter environ 3 heures à chaleur douce, jusqu'à ce que le veau soit tendre.

Dressez la viande sur un plat, couvrez et réservez.

Augmentez la température de la mijoteuse. Ajoutez le thym citron et la crème fraîche, puis prolongez la cuisson de 10 minutes à chaleur vive et à découvert.

Salez et poivrez. Servez le veau braisé avec la sauce, accompagné de pommes de terre en robe des champs.

VEAU À LA PEPERONATA ET AUX GNOCCHIS

POUR **4 personnes**
PRÉPARATION : **30 min**
CUISSON : **4 h 20 à 6 h 20**

> 60 g de farine
> 4 tranches de jarret de veau (environ 750 g) (voir NOTES)
> 20 g de beurre
> 1 cuill. à soupe d'huile d'olive
> 10 cl de vin blanc
> 350 g de gnocchis
> sel et poivre noir du moulin

Pour la peperonata

> 400 g de tomates entières en conserve
> 1 oignon rouge coupé en petits quartiers
> 2 gousses d'ail hachées
> 1 piment rouge ou vert épépiné et finement haché (facultatif)
> 1 poivron rouge épépiné et finement émincé
> 1 poivron jaune épépiné et finement émincé
> 1 cuill. à soupe de vinaigre de vin rouge
> 1 cuill. à café de sucre en poudre
> sel et poivre noir du moulin

Pour la gremolata

> le zeste râpé de 1 citron
> 1 gousse d'ail finement hachée
> 1 grosse poignée de persil plat ciselé

Préparez la *peperonata*. Mettez les tomates dans un grand saladier et hachez-les grossièrement. Ajoutez tous les autres ingrédients. Salez et poivrez, puis mettez la moitié de la *peperonata* dans la mijoteuse.

Versez la farine dans un plat et assaisonnez-la généreusement de sel et de poivre. Dégraissez les morceaux de veau, puis enrobez-les de farine.

Faites chauffer le beurre et l'huile d'olive dans une grande poêle à feu moyen, puis faites dorer les morceaux de viande pendant 2 ou 3 minutes de chaque côté. Versez le vin blanc et laissez-le réduire un peu. Déposez les morceaux de viande sur la *peperonata*, dans la mijoteuse, sans les superposer. Arrosez-les du jus de cuisson réduit, puis couvrez avec le reste de *peperonata*. Faites cuire de 4 à 6 heures à chaleur vive.

Lorsque la viande est bien tendre, déposez-la sur un plat, couvrez-la d'une feuille d'aluminium et réservez au chaud.

Mélangez les gnocchis avec la *peperonata*. Couvrez et prolongez la cuisson de 20 minutes.

Préparez la *gremolata*. Dans un petit saladier, mélangez le zeste de citron avec l'ail et le persil plat.

Répartissez les gnocchis et la *peperonata* sur des assiettes, puis disposez la viande et parsemez le tout de *gremolata*.

NOTES :

• La *peperonata* (ou poivronade) est un accompagnement typique de la cuisine italienne, et plus particulièrement de la Campanie.
• Vous pouvez remplacer les tranches de jarret de veau par des côtes de veau.

JARRETS DE VEAU BRAISÉS

POUR **4 à 6 personnes**
PRÉPARATION : **30 min**
CUISSON : **4 h environ**

> 4 à 6 jarrets de veau (environ 2 kg)
> 200 g de farine
> 1 blanc de poireau coupé en petits dés
> 1 oignon coupé en petits dés
> 1 carotte coupée en petits dés
> 1 branche de céleri coupée en petits dés
> 2 gousses d'ail finement hachées
> 1 feuille de laurier
> 1 branche de romarin hachée
> 10 cl de vin rouge
> 50 cl de fond de veau
> 200 g de cœurs d'artichaut
> 80 g de petits pois surgelés
> sel et poivre noir du moulin

Pour la gremolata à l'orange
> 1 gousse d'ail pilée
> le zeste râpé de 1 orange
> 1 petite poignée de persil plat ciselé

Enrobez les jarrets de veau de farine, en laissant tomber l'excédent. Mettez-les dans la mijoteuse avec les dés de poireau, d'oignon, de carotte et de céleri, l'ail, la feuille de laurier, le romarin, le vin rouge et le fond de veau. Faites cuire pendant 3 heures à chaleur vive.

Ajoutez les cœurs d'artichaut et poursuivez la cuisson pendant 1 heure à découvert, toujours à chaleur vive. Versez les petits pois et laissez chauffer 5 minutes. Salez et poivrez.

Préparez la *gremolata* à l'orange. Mélangez l'ail avec le zeste d'orange et le persil plat.

Servez les jarrets de veau braisés parsemés de *gremolata*.

NOTE : la *gremolata* est un assaisonnement italien à base d'aromates et d'agrumes, idéal pour relever les viandes blanches, comme le veau, ou le poisson.

RAGOÛT DE VEAU
AU CITRON ET AUX CÂPRES

POUR **4 personnes**
PRÉPARATION : **25 min**
CUISSON : **4 h**

> 300 g d'échalotes non pelées
> 1 kg d'épaule de veau désossée
> 2 gousses d'ail pilées
> 3 blancs de poireau coupés
en gros morceaux
> 2 cuill. à soupe de farine
> 50 cl de bouillon de volaille
> 2 feuilles de laurier
> 1 cuill. à café de zeste
de citron râpé
> 10 cl de jus de citron
> 2 cuill. à soupe de câpres
rincées soigneusement
> un peu de persil plat ciselé
> quelques grosses câpres
(facultatif)
> sel et poivre noir du moulin

Faites tremper les échalotes pendant 5 minutes dans de l'eau bouillante, dans un saladier résistant à la chaleur, puis égouttez-les et pelez-les.

Parez le veau et coupez-le en cubes de 4 cm de côté. Mettez les échalotes et les cubes de veau dans la mijoteuse avec l'ail, les blancs de poireau, la farine, le bouillon de volaille, les feuilles de laurier, ainsi que le zeste et le jus de citron. Mélangez, puis faites cuire pendant 4 heures à chaleur vive et à couvert. Environ 30 minutes avant la fin de la cuisson, ôtez le couvercle pour laisser la sauce épaissir légèrement.

Ajoutez les câpres, puis salez et poivrez. Servez le ragoût de veau parsemé de persil plat avec, éventuellement, quelques grosses câpres dans un ramequin.

QUEUE DE BŒUF À LA MARMELADE D'ORANGE

POUR **4 personnes**
PRÉPARATION : **20 min**
MARINADE : **12 h**
CUISSON : **4 h**

> 1,5 kg de queue de bœuf
> 150 g de marmelade d'orange
> 10 cl de xérès
> 2 cuill. à soupe d'huile d'olive
> 4 pommes de terre coupées en morceaux de 3 cm
> 2 carottes coupées en rondelles
> 1 oignon finement émincé
> 2 feuilles de laurier
> 1 bâton de cannelle
> 1 orange pelée et coupée en quartiers
> sel et poivre noir du moulin

La veille, coupez la queue de bœuf en morceaux, puis mettez ceux-ci dans un grand saladier et enrobez-les de marmelade d'orange et de xérès. Couvrez et laissez mariner 12 heures.

Le lendemain, faites chauffer l'huile d'olive à feu vif dans une grande poêle. Faites-y dorer les morceaux de bœuf pendant 4 minutes en plusieurs fois, puis réservez.

Réunissez dans la mijoteuse les morceaux de pomme de terre, les rondelles de carotte, l'oignon, les feuilles de laurier et la cannelle. Couvrez avec les morceaux de bœuf et faites cuire pendant 4 heures à chaleur vive.

Salez et poivrez, puis servez la queue de bœuf, garnie de quartiers d'orange, accompagnée d'une purée de pommes de terre.

BŒUF BRAISÉ AUX NAVETS ET AUX HERBES

POUR **4 à 6 personnes**
PRÉPARATION : **20 min**
CUISSON : **4 h**

> 1 kg de bœuf dans le paleron
> 150 g de lardons
> 2 oignons finement émincés
> 2 gros navets coupés en 8 quartiers chacun
> 10 cl de vin rouge
> 25 cl de bouillon de bœuf
> 1 $\frac{1}{2}$ cuill. à soupe de vinaigre de vin rouge
> 1 grosse branche de menthe
> 1 petite poignée de persil plat ciselé
> sel et poivre noir du moulin

Parez le bœuf, puis coupez-le en cubes de 4 cm de côté. Mettez ceux-ci dans la mijoteuse avec les lardons, les oignons, les quartiers de navet, le vin rouge, le bouillon de bœuf, le vinaigre de vin et la menthe. Laissez mijoter pendant 4 heures à chaleur douce.

Salez et poivrez, puis retirez la menthe de la cocotte et ajoutez le persil plat.

Servez le bœuf braisé aux navets accompagné d'une purée de pommes de terre.

BŒUF AU PROSCIUTTO ET AUX FÈVES

POUR **4 personnes**
PRÉPARATION : **25 min**
RÉFRIGÉRATION : **15 min**
TREMPAGE : **10 min**
CUISSON : **2 h 20**

> 500 g de filet de bœuf
> 3 gousses d'ail finement émincées
> 2 cuill. à soupe de romarin haché
> 8 à 10 tranches de prosciutto
(voir NOTE p. 134)
> 20 g de champignons séchés
(cèpes, par exemple)
> 2 cuill. à soupe d'huile d'olive
> 1 oignon coupé en deux et émincé
> 20 cl de vin rouge
> 400 g de tomates concassées
en conserve
> 400 g de fèves pelées
> sel et poivre noir du moulin

Dégraissez le bœuf et incisez la chair. Remplissez chaque incision d'un morceau d'ail, en utilisant 1 gousse d'ail au total. Assaisonnez le bœuf de 1 cuillerée à soupe de romarin, de sel et de poivre.

Alignez les tranches de prosciutto sur une planche et posez le bœuf dessus. Enroulez-les tout autour pour enfermer le bœuf à l'intérieur, puis maintenez l'ensemble à l'aide de ficelle de cuisine. Laissez reposer au moins 15 minutes au réfrigérateur.

Faites tremper les champignons pendant 10 minutes dans 20 cl d'eau chaude, dans un saladier.

Faites chauffer l'huile d'olive à feu vif dans une grande poêle, puis saisissez le rouleau de bœuf uniformément ; le prosciutto doit dorer sans brûler (peu importe s'il se détache légèrement). Retirez de la poêle.

Mettez le bœuf dans la mijoteuse avec l'oignon, le reste d'ail et de romarin, les champignons et leur liquide de trempage, le vin rouge et les tomates concassées. Laissez mijoter pendant 2 heures à chaleur douce.

Ajoutez les fèves et prolongez la cuisson de 20 minutes.

Salez et poivrez, puis servez le bœuf au prosciutto et aux fèves accompagné d'une purée de pommes de terre ou de polenta.

NOTE : vous pouvez remplacer le prosciutto par de la pancetta ou du bacon fumé.

BŒUF STROGANOV
AUX CHAMPIGNONS

POUR **4 personnes**
PRÉPARATION : **40 min**
CUISSON : **3 h ou 4 h**

> 325 g de pommes de terre nouvelles non pelées, coupées en rondelles de 1 ou 2 cm d'épaisseur

> 300 g de champignons mélangés et émincés (pleurotes et champignons de Paris, par exemple)

> 1 oignon finement émincé en anneaux

> 2 ou 3 gousses d'ail hachées

> 1 cuill. à café d'origan séché

> 750 g de filet de bœuf

> 30 g de farine

> 1/2 cuill. à café de paprika

> 2 cuill. à soupe d'huile d'olive

> 10 cl de bouillon de bœuf

> 10 cl de vin blanc

> 2 cuill. à soupe de concentré de tomate

> 125 g de crème fraîche

> 1 petite poignée de persil plat ciselé

> sel et poivre noir du moulin

Tapissez le fond de la mijoteuse avec les rondelles de pomme de terre.

Mettez les champignons et l'oignon dans un grand saladier. Assaisonnez avec l'ail, l'origan, du sel et du poivre.

Dégraissez le bœuf, puis détaillez-le en fines lamelles en travers des fibres. Épongez celles-ci avec du papier absorbant. Mélangez la farine et le paprika dans un plat.

Faites chauffer 2 cuillerées à café d'huile d'olive dans une grande poêle à feu vif. En procédant en quatre fois et en ajoutant de l'huile à chaque fois, enrobez les lamelles de viande avec le mélange farine-paprika (laissez tomber l'excédent) et faites-les dorer pendant 1 ou 2 minutes dans la poêle. Ajoutez les lamelles de bœuf saisies au fur et à mesure dans le saladier avec les champignons.

Dans la poêle, versez les résidus de farine, le bouillon de bœuf, le vin blanc et le concentré de tomate, puis laissez chauffer en fouettant. Versez la préparation dans le saladier et mélangez intimement. Déposez le tout dans la mijoteuse, sur les rondelles de pomme de terre. Faites cuire pendant 3 ou 4 heures à chaleur vive, jusqu'à ce que le bœuf et les pommes de terre soient tendres.

Ajoutez la crème fraîche et la moitié du persil ciselé, mélangez, puis servez le bœuf Stroganov parsemé du reste de persil plat.

NOTE : le bœuf Stroganov est un plat traditionnel russe, souvent accompagné d'un riz pilaf.

OSSO-BUCO

POUR **4 personnes**
PRÉPARATION : **30 min**
CUISSON : **5 h 05 ou 6 h 05**

> 60 g de farine
> 1 kg de jarret de veau en tranches
> 2 ou 3 cuill. à soupe
d'huile végétale
> 1 oignon finement haché
> 1 carotte coupée en petits dés
> 2 feuilles de laurier
> 1/2 cuill. à café de grains
de poivre noir
> 400 g de tomates concassées
en conserve
> 20 cl de vin blanc
> 150 g de petits pois surgelés
> 1 poignée de persil plat ciselé
> sel et poivre noir du moulin

Pour la gremolata
> 2 gousses d'ail finement hachées
> 1 poignée de persil plat ciselé
> le zeste râpé de 2 citrons

Mettez la farine dans un plat et assaisonnez-la de sel et de poivre. Saupoudrez-en les tranches de veau.

Faites chauffer l'huile dans une grande poêle à feu moyen, puis faites dorer les tranches de veau pendant 5 minutes de chaque côté en plusieurs fois.

Réunissez dans la mijoteuse l'oignon, les dés de carotte, les feuilles de laurier, les grains de poivre, la viande, les tomates concassées et le vin blanc. Faites cuire pendant 5 ou 6 heures, jusqu'à ce que la viande soit tendre.

Ajoutez les petits pois et laissez chauffer 5 minutes supplémentaires.

Lorsque la viande est presque cuite, préparez la gremolata. Mélangez, dans un saladier, l'ail avec le persil et le zeste de citron. Couvrez et réservez.

Salez et poivrez la viande, puis ajoutez le persil plat. Servez l'osso-buco, garni de *gremolata*, accompagné d'une purée de pommes de terre et de légumes vapeur.

NOTE : plat de la cuisine milanaise dont le nom signifie « os à trou », l'osso-buco est un ragoût de rouelles de jarret de veau dont il existe de nombreuses variantes.

BŒUF À LA PORTUGAISE

POUR **6 personnes**
PRÉPARATION : **20 min**
CUISSON : **5 h 10**

> 1,25 kg de bœuf dans le paleron
> 2 gousses d'ail finement émincées
> 175 g de lardons
> 25 cl de vin rouge
> 25 cl de bouillon de bœuf
> 1 cuill. à soupe de paprika doux
> 3/4 de cuill. à café de paprika fumé
> 2 feuilles de laurier
> 2 cuill. à café d'origan séché
> 20 g de beurre à
température ambiante
> 2 cuill. à soupe de farine
> 175 g d'olives vertes
> 30 g d'amandes effilées
> sel et poivre noir du moulin

Parez le bœuf et coupez-le en cubes de 4 cm de côté.
Mettez ceux-ci dans la mijoteuse avec l'ail, les lardons, le vin
rouge, le bouillon de bœuf, les paprikas doux et fumé,
les feuilles de laurier et l'origan. Laissez mijoter pendant
5 heures à chaleur douce, jusqu'à ce que le bœuf soit tendre.

Mélangez le beurre et la farine, puis incorporez-les
progressivement dans la mijoteuse, en remuant. Prolongez
la cuisson de 10 minutes à découvert pour laisser épaissir
la sauce.

Ajoutez les olives vertes et les amandes, salez et poivrez.
Servez le bœuf à la portugaise accompagné d'une purée
de pommes de terre ou de riz vapeur.

BŒUF AUX LÉGUMES-RACINES ET AUX FÈVES

POUR **4 personnes**
PRÉPARATION : **20 min**
CUISSON : **4 h**

> 1,2 kg de bœuf dans le paleron
> 1/2 cuill. à café de thym séché
> 1 blanc de poireau coupé
en rondelles de 1 cm d'épaisseur
> 1 branche de céleri émincée
> 2 gousses d'ail hachées
> 2 panais coupés en quatre
> 300 g de patates douces orange
coupées en 8 quartiers
> 1 rutabaga coupé en 8 quartiers
> 25 cl de vin rouge
> 4 cuill. à soupe de sauce tomate
> 1 cuill. à soupe de fécule de maïs
> 175 g de fèves surgelées
> sel et poivre noir du moulin

Parez le bœuf et coupez-le en cubes de 4 cm de côté.
Mettez ceux-ci dans la mijoteuse, puis assaisonnez de thym,
de sel et de poivre. Ajoutez les rondelles de poireau, le céleri,
l'ail, les morceaux de panais, les quartiers de patates douces
et de rutabaga, le vin rouge et la sauce tomate. Faites cuire
pendant 4 heures à chaleur vive.

Environ 20 minutes avant la fin de la cuisson, délayez la fécule
de maïs dans un peu d'eau, puis ajoutez le mélange
dans la mijoteuse, ainsi que les fèves. Poursuivez la cuisson
jusqu'à ce que les fèves soient tendres et servez aussitôt.

JOUES DE BŒUF À L'OIGNON, AUX CHAMPIGNONS ET AU THYM

POUR **4 personnes**
PRÉPARATION : **25 min**
CUISSON : **8 h**

> 1 kg de joues de bœuf
> 100 g de lard dégraissé et haché
> 25 cl de vin rouge
> 2 branches de céleri finement hachées
> 1 carotte coupée en petits dés
> 1 oignon finement haché
> 10 g de thym
> 3 gousses d'ail
> 25 cl de bouillon de bœuf
> 40 g de beurre
> 12 petits oignons pelés (coupez les plus gros en deux dans la longueur)
> 1 $\frac{1}{2}$ cuill. à soupe de sucre
> 1 $\frac{1}{2}$ cuill. à soupe de vinaigre de xérès
> 16 champignons de Paris coupés en deux

Parez les joues de bœuf, puis partagez-les en quatre portions. Mettez celles-ci dans la mijoteuse avec le lard, le vin rouge, le céleri, les dés de carotte, l'oignon, le thym, l'ail et le bouillon de bœuf. Laissez mijoter pendant 7 heures à chaleur douce, jusqu'à ce que la viande soit bien moelleuse (le temps de cuisson dépend de l'épaisseur des morceaux).

Mettez la moitié du beurre dans une poêle et faites dorer les oignons pendant 8 minutes à feu moyen. Ajoutez le sucre en poudre et laissez-le caraméliser uniformément, en secouant la poêle. Versez la moitié du vinaigre de xérès et grattez le fond de la poêle pour détacher les sucs caramélisés. Transvasez le contenu de la poêle dans la mijoteuse.

Faites fondre le reste de beurre dans la poêle, puis faites dorer les champignons de Paris 5 ou 6 minutes à feu moyen. Versez le reste de vinaigre et grattez le fond de la poêle comme précédemment. Mettez les champignons et le fond de cuisson de la poêle dans la mijoteuse, puis poursuivez la cuisson pendant 1 heure à découvert ; la viande doit être tendre et la sauce, légèrement épaisse.

Servez les joues de bœuf avec la sauce, accompagnées de légumes verts et d'une purée de pommes de terre.

JARRETS D'AGNEAU
AU VIN ROUGE

POUR **4 personnes**
PRÉPARATION : **20 min**
CUISSON : **4 h 30 environ**

> 1 oignon coupé en petits dés
> 1 blanc de poireau coupé
en petits dés
> 1 carotte coupée en petits dés
> 2 branches de céleri coupées
en petits dés
> 1,5 kg de jarret d'agneau (4 jarrets
de 300 à 350 g chacun)
> 3 gousses d'ail émincées
> 4 grosses branches de romarin
> 4 tranches de prosciutto
(voir NOTE p. 134)
> 60 g de concentré de tomate
> 50 cl de bouillon de bœuf
> 25 cl de vin rouge
> 90 g d'olives noires
> 1 petite poignée de persil
plat ciselé
> sel et poivre noir du moulin

Réunissez les dés d'oignon, de poireau, de carotte et de céleri dans la mijoteuse.

Faites trois ou quatre petites incisions dans la partie charnue des jarrets pour y introduire les éclats d'ail. Posez une branche de romarin sur chaque jarret et enroulez une tranche de prosciutto autour. Maintenez chaque tranche avec un bâtonnet à cocktail.

Déposez les jarrets sur les légumes, dans la mijoteuse. Nappez-les de concentré de tomate, versez le bouillon de bœuf et le vin rouge, puis salez et poivrez. Faites cuire 4 heures 30 à chaleur vive.

Ajoutez les olives noires et laissez chauffer 5 minutes supplémentaires.

Parsemez les jarrets d'agneau de persil plat avant de servir.

NAVARIN D'AGNEAU

POUR **4 personnes**
PRÉPARATION : **20 min**
CUISSON : **3 h 45**

> 1 épaule d'agneau désossée de 1 kg
> 200 g de petits navets
> 8 oignons nouveaux (sans les feuilles)
> 175 g de petites pommes de terre pelées (coupez les plus grosses en deux)
> 1 oignon haché
> 1 gousse d'ail pilée
> 10 cl de bouillon de volaille
> 10 cl de vin rouge
> 2 cuill. à soupe de concentré de tomate
> 1 grosse branche de romarin
> 2 branches de thym
> 1 feuille de laurier
> 18 petites carottes épluchées en laissant la base de la tige
> 150 g de petits pois frais ou surgelés
> 1 cuill. à soupe de gelée de groseille
> 1 poignée de persil plat ciselé
> sel et poivre noir du moulin

Dégraissez l'agneau et coupez-le en cubes de 3 cm de côté. Mettez ceux-ci dans la mijoteuse avec les navets, les oignons nouveaux, les pommes de terre, l'oignon, l'ail, le bouillon de volaille, le vin rouge, le concentré de tomate, le romarin, le thym et la feuille de laurier. Mélangez, puis faites cuire pendant 3 heures à chaleur vive ; l'agneau doit être presque tendre.

Épluchez les carottes, en laissant la base de la tige. Ajoutez-les dans la mijoteuse et poursuivez la cuisson pendant 40 minutes.

Ajoutez les petits pois, la gelée de groseille, le persil plat, et laissez chauffer 5 minutes supplémentaires, jusqu'à ce que les petits pois soient tendres. Salez et poivrez avant de servir.

NOTE : le navarin est un ragoût de mouton garni de pommes de terre et de légumes divers. Il tient sans doute son nom de la déformation du mot « navet », légume qui en constituait, à l'origine, la principale garniture.

AGNEAU AU VIN ROUGE LONGUEMENT MIJOTÉ

POUR **6 personnes**
PRÉPARATION : **20 minutes**
MARINADE : **24 à 28 h**
CUISSON : **10 h 15 environ**

> 1 gigot d'agneau de 2 kg
> 50 g de beurre ramolli
> 2 $\frac{1}{2}$ cuill. à soupe de farine

Pour la marinade

> 75 cl de vin rouge
(bordeaux de préférence)
> 4 cuill. à soupe de cognac
> 10 gousses d'ail pilées
> 1 cuill. à soupe de romarin haché
> 2 cuill. à café de thym effeuillé
> 2 feuilles de laurier fraîches
coupées en petits morceaux
> 1 grosse carotte coupée en dés
> 1 grosse branche de céleri
coupée en dés
> 1 oignon finement haché
> 4 cuill. à soupe d'huile d'olive

Dégraissez en partie le gigot (laissez une petite couche de gras tout autour).

La veille, mélangez tous les ingrédients de la marinade dans un plat en faïence ou en verre. Déposez le gigot et retournez-le pour l'enrober de marinade. Couvrez de film alimentaire, puis laissez mariner de 24 à 28 heures au réfrigérateur, en le retournant de temps en temps. Veillez à bien recouvrir le plat à chaque fois pour éviter que les odeurs de la marinade n'imprègnent les autres aliments du réfrigérateur.

Mettez le gigot et la marinade dans la mijoteuse. Laissez mijoter pendant 10 heures à chaleur douce.

Déposez délicatement le gigot sur un plat de service à l'aide de deux larges spatules. Couvrez-le d'une feuille d'aluminium et d'un torchon pour le garder au chaud.

Dégraissez le liquide de cuisson contenu dans la mijoteuse. Réunissez les légumes et les aromates cuits dans le bol d'un robot. Réduisez-les en purée, puis filtrez celle-ci au dessous du liquide de cuisson. Augmentez la température de la mijoteuse. Mélangez le beurre ramolli et la farine, puis ajoutez-les dans la sauce en fouettant. Laissez épaissir la sauce de 10 à 15 minutes.

Découpez l'agneau, puis servez-le avec la sauce, accompagné de légumes verts et d'un gratin de pommes de terre.

CURRYS
ET RAGOÛTS ÉPICÉS

CURRY DE POIS CHICHES ET DE LÉGUMES

POUR 4 à 6 personnes
PRÉPARATION : 30 min
CUISSON : 3 h 10 ou 4 h 10

> 3 gousses d'ail pilées
> 1 piment rouge (ou vert)
épépiné et haché
> 2 cuill. à soupe de pâte de curry
> 1 cuill. à café de cumin en poudre
> 1/2 cuill. à café de curcuma
> 400 g de tomates
concassées en conserve
> 25 cl de bouillon de légumes
(ou d'eau)
> 1 oignon rouge coupé
en petits quartiers
> 1 grosse carotte coupée en biais
en sections de 3 cm d'épaisseur
> 250 g de patates douces orange,
coupée en biais en sections
de 3 cm d'épaisseur
> 250 g de chou-fleur détaillé
en bouquets
> 250 g de brocoli détaillé
en bouquets
> 2 aubergines longues et fines
(100 g au total), coupées
en rondelles de 3 cm d'épaisseur
> 400 g de pois chiches
en conserve, égouttés et rincés
> 150 g de petits pois frais
(ou surgelés)
> 15 cl de lait de coco
> 1 petite poignée de coriandre

Réunissez dans la mijoteuse l'ail, le piment, la pâte de curry, le cumin, le curcuma, les tomates concassées et le bouillon de légumes. Ajoutez ensuite les quartiers d'oignon, les morceaux de carotte et de patate douce, les bouquets de chou-fleur et de brocoli, les rondelles d'aubergine et les pois chiches. Faites cuire pendant 3 ou 4 heures à chaleur vive.

Ajoutez les petits pois, versez le lait de coco et prolongez la cuisson de 10 minutes.

Servez le curry de pois chiches et de légumes, parsemé de feuilles de coriandre, dans des assiettes creuses et accompagné de riz.

NOTE : si vous aimez les saveurs fortes, vous pouvez ajouter un peu plus de pâte de curry.

CURRY JAUNE DE LÉGUMES

POUR **4 personnes**
PRÉPARATION : **30 min**
CUISSON : **3 h**

> 100 g de chou-fleur
> 1 aubergine longue et fine
> 1 petit poivron rouge
> 2 petites courgettes
> 150 g de haricots verts
> 1 ou 2 cuill. à soupe de pâte
de curry jaune
> 50 cl de crème de coco
> 10 cl de bouillon de légumes
> 150 g de petits épis de maïs
> 1 $\frac{1}{2}$ cuill. à soupe de sauce
nuoc-mâm (voir NOTE p. 36)
> 2 cuill. à café de sucre de palme
(ou de cassonade)
> 1 petit piment rouge épépiné
et haché
> feuilles de coriandre

Détaillez le chou-fleur en bouquets, puis coupez l'aubergine, le poivron rouge et les courgettes en rondelles de 1 cm d'épaisseur. Coupez les haricots verts en tronçons de 3 cm de long.

Mettez les bouquets de chou-fleur, ainsi que les rondelles d'aubergine et de poivron dans la mijoteuse, avec la pâte de curry, la crème de coco et le bouillon de légumes. Laissez mijoter pendant 2 heures à chaleur douce.

Ajoutez les rondelles de courgette, les tronçons de haricots verts, les épis de maïs, la sauce nuoc-mâm et le sucre de palme, puis poursuivez la cuisson pendant 1 heure.

Servez le curry jaune de légumes parsemé de piment rouge et de feuilles de coriandre, et accompagné de riz.

DHAL

POUR **8 personnes**
PRÉPARATION : **15 min**
CUISSON : **4 h**

> 400 g de lentilles corail
> 1 oignon haché
> 2 gousses d'ail hachées
> 2 cuill. à café de curcuma
> 2 cuill. à café de gingembre
frais râpé
> 2 feuilles de laurier
> 1 bâton de cannelle
> 2 cuill. à café de cumin en poudre
> 1 cuill. à café de coriandre
en poudre
> 1 cuill. à café de graines
de moutarde
> 75 cl de bouillon de volaille
> 1 cuill. à café de garam masala
(voir NOTE p. 170)
> 40 g de beurre
> 2 grosses poignées de feuilles
de coriandre hachées

Réunissez dans la mijoteuse les lentilles corail, l'oignon, l'ail, le curcuma, le gingembre, les feuilles de laurier, le bâton de cannelle, le cumin, la coriandre en poudre, les graines de moutarde, le bouillon de volaille et 1 l d'eau. Laissez mijoter pendant 4 heures environ à chaleur douce, jusqu'à ce que les lentilles soient tendres.

Ajoutez le garam masala, le beurre et les feuilles de coriandre. Remuez pour faire fondre le beurre, puis servez.

NOTE : dans la cuisine indienne, le mot "dhal" désigne aussi bien les lentilles que le plat qu'elles composent. Très appréciés, les *dhal* sont cuisinés de différentes manières selon les familles ou les régions.

CURRY DE POISSON

POUR **4 personnes**
PRÉPARATION : **20 min**
CUISSON : **2 h 30**

> 40 cl de lait de coco
> 5 piments verts
épépinés et hachés
> 2 piments rouges séchés et hachés
> 1/2 bâton de cannelle
> 2 cuill. à café de gingembre
frais râpé
> 2 gousses d'ail finement hachées
> 1 cuill. à café de curcuma
> 1 pincée de piment en poudre
> 1 cuill. à café de curry en poudre
> 2 tomates concassées
> 25 cl de fumet de poisson
(ou de bouillon de volaille)
> 4 tiges de feuilles de curry
fraîches (facultatif) (voir NOTE p. 82)
> 800 g de filets de vivaneau coupés
en cubes (ou de dorade)
> 2 oignons nouveaux avec la tige
émincés en biais
> le jus de 2 citrons verts

Réunissez dans la mijoteuse le lait de coco, les piments verts, les piments rouges, le bâtonnet de cannelle, le gingembre, l'ail, le curcuma, le piment et le curry en poudre, les tomates concassées, le fumet de poisson et, éventuellement, les feuilles de curry. Laissez mijoter pendant 2 heures à chaleur douce.

Ajoutez les cubes de poisson et prolongez la cuisson de 30 minutes ; ils doivent s'effilocher facilement avec une fourchette.

Mélangez la moitié des oignons nouveaux et les deux tiers du jus de citron vert. Goûtez et ajoutez, au besoin, un peu de jus de citron vert.

Parsemez le curry de poisson du reste d'oignons nouveaux, puis servez-le accompagné de riz.

CURRY DE POULET
À LA CRÈME

POUR **4 personnes**
PRÉPARATION : **30 min**
MARINADE : **2 à 12 h**
CUISSON : **4 h**

> 1 morceau de gingembre frais
de 2 cm de long, grossièrement
haché
> 75 g d'amandes mondées
> 3 gousses d'ail
grossièrement hachées
> 1 kg de cuisses de poulet
désossées et sans la peau
> 150 g de yaourt à la grecque
> 1/2 cuill. à café
de piment en poudre
> 1 pincée de clous de girofle
en poudre
> 1 pincée de cannelle en poudre
> 1 cuill. à café de garam masala
(dans les épiceries indiennes,
voir NOTE)
> 4 gousses de cardamome pilées
> 400 g de tomates
concassées en conserve
> 1 cuill. à café de sel
> 1 gros oignon finement émincé
> 1 poignée de coriandre ciselée
> 10 cl de crème fraîche épaisse
> sel et poivre noir du moulin

À l'aide d'un mortier et d'un pilon (ou d'un robot), pilez
(ou mixez) le gingembre et l'ail jusqu'à obtention d'une pâte
(vous pouvez aussi râper finement le gingembre et piler l'ail,
puis mélanger les deux ingrédients). Broyez les amandes dans
le bol d'un robot ou hachez-les finement avec un couteau.

Dégraissez le poulet et coupez-le en gros morceaux.

Réunissez, dans un grand saladier, la pâte de gingembre
et d'ail, les amandes broyées, le yaourt, le piment et le girofle
en poudre, la cannelle, le garam masala, la cardamome,
les tomates concassées et le sel. Mélangez à l'aide
d'une fourchette. Ajoutez les morceaux de poulet et remuez
pour les enrober de marinade. Couvrez et laissez mariner
au moins 2 heures ou, si possible, toute la nuit, au réfrigérateur.

Mettez la préparation dans la mijoteuse, avec l'oignon,
puis faites cuire pendant 3 heures à chaleur vive.

Ajoutez la moitié de la coriandre et la crème fraîche,
puis prolongez la cuisson de 1 heure.

Salez et poivrez, puis servez le curry de poulet parsemé
du reste de coriandre et accompagné de riz.

NOTE : le garam masala est un mélange d'épices qui
signifie littéralement "épice brûlant". Très utilisé dans
la cuisine indienne, on le dose cependant avec parcimonie.

POULET BRAISÉ AU GINGEMBRE ET À L'ANIS ÉTOILÉ

POUR **4 personnes**
PRÉPARATION : **15 min**
CUISSON : **2 h**

> 1 kg de cuisses de poulet
désossées et sans la peau
> 1 cuill. à café de grains
de poivre du Sichuan
> 3 morceaux de gingembre frais
de 2 cm de long, détaillés
en lamelles
> 2 gousses d'ail hachées
> 10 cl de vin de riz chinois
(dans les épiceries asiatiques,
voir NOTE)
> 4 cuill. à soupe de sauce soja claire
> 1 cuill. à soupe de miel
> 1 gousse d'anis étoilé
> 3 oignons nouveaux finement
émincés en biais
> sel et poivre noir du moulin

Dégraissez les cuisses de poulet, puis coupez-les en deux. Mettez-les dans la mijoteuse avec le poivre du Sichuan, le gingembre, l'ail, le vin de riz, la sauce soja, le miel et l'anis étoilé. Faites cuire pendant 2 heures à chaleur vive.

Salez et poivrez. Parsemez le poulet braisé d'oignons nouveaux, puis servez-le accompagné de riz.

NOTE : le vin de riz chinois est obtenu à partir de riz gluant. Sucré et assez fort, on l'utilise (comme le mirin japonais) d'avantage en condiment qu'en vin de table. À défaut, il peut être remplacé par du xérès sec ou du porto.

CURRY VERT DE POULET

POUR **4 à 6 personnes**
PRÉPARATION : **20 min**
CUISSON : **2 h**

> 750 g de cuisses de poulet
désossées et sans la peau
> 2 cuill. à soupe de pâte de
curry verte
> 45 cl de lait de coco
> 350 g d'aubergines longues
et fines, émincées
> 7 feuilles de kaffir coupées
en deux (voir NOTE p. 36)
> 2 ½ cuill. à soupe de sauce
nuoc-mâm (voir NOTE p. 36)
> 1 cuill. à soupe de sucre de palme
(ou de cassonade, voir NOTE)
> 1 poignée de basilic thaï
> 1 long piment rouge, épépiné
et finement émincé

Dégraissez les cuisses de poulet, puis coupez-les en morceaux. Mettez-les dans la mijoteuse avec la pâte de curry verte, le lait de coco, les aubergines et 4 feuilles de kaffir. Faites cuire pendant 2 heures à chaleur vive.

Ajoutez la sauce nuoc-mâm, le sucre de palme et les feuilles de kaffir restantes.

Servez le curry vert parsemé de basilic thaï et de piment rouge et accompagné de riz.

NOTE : le sucre de palme, issu de la fleur de cocotier, est vendu en blocs durs dans les épiceries asiatiques. À défaut, remplacez-le par du sucre roux.

CURRY DE POULET PENANG

POUR **4 personnes**
PRÉPARATION : **10 min**
CUISSON : **3 h**

> 800 g de blancs de poulet
> 40 cl de crème de coco
> feuilles de coriandre
> piment rouge émincé

Pour la pâte de curry rouge
> 1 oignon rouge émincé
> 10 g de galanga émincé
(dans les épiceries asiatiques,
voir NOTE p. 34)
> 2 gousses d'ail hachées
> 1 cuill. à café de piment en poudre
> 2 racines de coriandre
soigneusement lavées
> 1 cuill. à café de pâte de crevettes
> 3 cuill. à soupe
de cacahuètes grillées

Préparez la pâte de curry rouge. Mixez tous les ingrédients dans le bol d'un robot jusqu'à obtention d'une préparation lisse (vous pouvez aussi piler les ingrédients à l'aide d'un mortier et d'un pilon).

Dégraissez les blancs de poulet, coupez-les en morceaux, puis mettez-les dans un grand saladier. Ajoutez la pâte de curry rouge et remuez soigneusement pour bien enrober les morceaux de poulet.

Mettez le poulet dans la mijoteuse et faites cuire pendant 2 heures à chaleur vive.

Versez la crème de coco, puis poursuivez la cuisson pendant 1 heure.

Servez le curry de poulet, parsemé de coriandre et de piment rouge, dans des bols individuels et accompagné de riz au jasmin.

TAJINE DE POULET AUX PRUNEAUX

POUR **4 personnes**
PRÉPARATION : **15 min**
CUISSON : **3 h**

> 800 g de cuisses de poulet désossées et sans la peau
> 1 oignon haché
> 1 pincée de safran en poudre
> 1/2 cuill. à café de gingembre en poudre
> 2 bâtons de cannelle
> 4 branches de coriandre réunies en bouquet
> le zeste de 1/2 citron détaillé en larges lanières
> 300 g de pruneaux dénoyautés
> 2 cuill. à soupe de miel
> 1 cuill. à soupe de graines de sésame grillées

Dégraissez les cuisses de poulet, puis coupez-les en quatre. Mettez-les dans la mijoteuse avec l'oignon, le safran, le gingembre en poudre, les bâtons de cannelle, la coriandre et 25 cl d'eau. Faites cuire pendant 2 heures 30 à chaleur vive.

Ajoutez le zeste de citron, les pruneaux et le miel, puis couvrez et prolongez la cuisson de 30 minutes.

Retirez la coriandre et parsemez le tajine de graines de sésame avant de servir.

POULET MAKHANI

POUR **6 personnes**
PRÉPARATION : **20 min**
CUISSON : **4 h 10**

> 1 kg de cuisses de poulet désossées et sans la peau
> 2 cuill. à café de garam masala (voir NOTE p. 170)
> 2 cuill. à café de paprika doux
> 2 cuill. à café de coriandre en poudre
> 1 cuill. à soupe de gingembre frais râpé
> 1 pincée de piment en poudre
> 1 bâton de cannelle
> 6 gousses de cardamome pilées
> 375 g de coulis de tomates
> 60 g de yaourt nature
> 2 cuill. à soupe de fécule de maïs
> 1 cuill. à soupe de sucre en poudre
> 10 cl de crème fraîche liquide
> 1 cuill. à soupe de jus de citron

Dégraissez les cuisses de poulet, puis coupez-les en quatre. Mettez-les dans la mijoteuse avec le garam masala, le paprika, la coriandre en poudre, le gingembre, le piment, le bâton de cannelle, la cardamome et le coulis de tomates. Laissez mijoter pendant 4 heures à chaleur douce.

Mélangez le yaourt avec la fécule de maïs. Augmentez la température de la mijoteuse. Ajoutez le mélange au yaourt avec le sucre en poudre, la crème fraîche et le jus de citron. Prolongez la cuisson de 10 minutes à chaleur vive pour laisser épaissir la sauce.

Servez le poulet *makhani* accompagné de riz.

NOTE : originaire du Penjab en Inde, le terme *makhani* signifie que le plat est cuit avec de la crème ou du beurre.

PORC À L'OIGNON ET À LA SAUCE BARBECUE

POUR **4 à 6 personnes**
PRÉPARATION : **20 min**
CUISSON : **7 h environ**

> 1 oignon finement émincé
> 1 rôti de porc désossé
de 1,5 kg dans le filet
> 1 cuill. à soupe de coriandre
hachée
> 4 à 6 pains pitas

Pour la sauce barbecue
> 250 g de sauce barbecue
prête à l'emploi
> 1 ½ cuill. à soupe de piment
jalapeño haché
> 1/2 cuill. à café de cumin en poudre
> 1 pincée de cannelle
en poudre
> 1 cuill. à café de paprika en poudre
> 45 g de cassonade
> 2 gousses d'ail hachées
> 1 cuill. à café de moutarde
> 2 cuill. à soupe de vinaigre
de vin rouge
> 2 cuill. à café
de Worcestershire sauce

Préparez la sauce barbecue. Réunissez dans un saladier la sauce barbecue toute prête, le piment, le cumin, la cannelle, le paprika, la cassonade, l'ail, la moutarde, le vinaigre de vin et la Worcestershire sauce. Mouillez avec 25 cl d'eau et mélangez.

Mettez l'oignon dans la mijoteuse. Posez le rôti de porc dessus et versez la sauce barbecue. Faites cuire pendant 7 heures environ à chaleur vive, jusqu'à ce que le porc soit bien tendre.

Laissez-le refroidir un peu avant de séparer la viande en petits morceaux avec deux fourchettes ou avec les doigts. Ajoutez la coriandre et mélangez.

Dressez la viande sur les pains pitas coupés en deux. Garnissez-les d'oignon et de sauce, puis servez-les accompagnés d'une salade verte.

POITRINE DE PORC À LA JAPONAISE

POUR **4 à 6 personnes**
PRÉPARATION : **20 min**
CUISSON : **5 h**

> 1 kg de poitrine de porc désossée
> 100 g de gingembre frais coupé en rondelles épaisses
> 50 cl de dashi (voir NOTE p. 52)
> 15 cl de saké (voir NOTES)
> 4 cuill. à soupe de mirin (voir NOTE p. 52)
> 80 g de cassonade
> 10 cl de sauce soja japonaise
> wasabi (voir NOTES) (facultatif)

> certains de ces ingrédients se trouvent dans les épiceries asiatiques

Coupez le porc en cubes de 5 cm de côté. Mettez ceux-ci dans la mijoteuse avec le gingembre, le dashi, le saké, le mirin, la cassonade et la sauce soja. Mouillez avec 40 cl d'eau, puis laissez mijoter pendant 4 heures 30 à chaleur douce.

Retirez le couvercle de la mijoteuse et augmentez la température. Prolongez la cuisson de 30 minutes à chaleur vive, pour épaissir la sauce.

Servez le porc à la japonaise avec du wasabi, si vous le souhaitez, et accompagné de riz.

NOTES :
• Le saké est une boisson alcoolisée japonaise fabriquée à base de riz. Incolore, son goût est plutôt doux avec une note amère.
• Le wasabi est une pâte aromatique dont la saveur rappelle celle du raifort. Il est vendu sous forme de poudre verte à diluer ou en tube.

PORC ADOBE

POUR **6 personnes**
PRÉPARATION : **20 min**
CUISSON : **4 h 30**

> 1 kg d'échine de porc
> 1 oignon rouge émincé
> 2 gousses d'ail hachées
> 10 cl de sauce soja claire
> 1 $\frac{1}{2}$ cuill. à soupe de vinaigre de cidre
> 25 cl de bouillon de bœuf
> 2 cuill. à soupe de cassonade
> 1 cuill. à soupe de gingembre frais détaillé en lamelles
> 2 feuilles de laurier
> 2 cuill. à soupe de farine
> 1 $\frac{1}{2}$ cuill. à soupe de jus de citron vert
> sel et poivre noir du moulin

Coupez le porc en morceaux de 4 cm de côté. Mettez ceux-ci dans la mijoteuse avec l'oignon rouge, l'ail, la sauce soja, le vinaigre de cidre, le bouillon de bœuf, la cassonade, le gingembre, les feuilles de laurier et la farine. Faites cuire pendant 4 heures à chaleur vive.

Retirez le couvercle de la mijoteuse et prolongez la cuisson de 30 minutes pour faire épaissir la sauce.

Versez le jus de citron vert, puis salez et poivrez. Servez le porc *adobe* accompagné de riz.

PORC VINDALOO

POUR **4 personnes**
PRÉPARATION : **25 min**
MARINADE : **3 h**
CUISSON : **3 h 30**

> 800 g de jarrets de porc désossés
> 6 gousses de cardamome
> 1 cuill. à café de grains
de poivre noir
> 4 piments séchés
> 1 cuill. à café de clous de girofle
> 1 bâton de cannelle de 10 cm
de long grossièrement coupé
> 1/2 cuill. à café de curcuma
> 1 cuill. à café de graines de cumin
> 1/2 cuill. à café de graines
de coriandre
> 1 pincée de graines de fenugrec
> 10 cl de vinaigre de vin blanc
> 1 cuill. à soupe
de vinaigre balsamique
> 2 oignons finement émincés
> 10 gousses d'ail finement émincées
> 1 morceau de gingembre de 5 cm
de long détaillé en julienne
> 250 g de coulis de tomates
> 4 piments verts
épépinés et hachés
> 1 cuill. à café de sucre de palme
(ou de cassonade, voir NOTE p. 172)

Dégraissez le porc et coupez-le en cubes de 2 ou 3 cm de côté.

Ouvrez les gousses de cardamome pour retirer les graines. À l'aide d'un mortier et d'un pilon (ou d'un moulin à épices), pilez finement les grains de poivre noir, les piments séchés, les clous de girofle, le bâton de cannelle, le curcuma, ainsi que les graines de cardamome, de cumin, de coriandre et de fenugrec.

Mélangez les épices pilés avec le vinaigre de vin blanc et le vinaigre balsamique dans un grand saladier. Ajoutez les morceaux de viande et remuez soigneusement pour les enrober de marinade. Couvrez et laissez mariner pendant 3 heures au réfrigérateur.

Mettez la viande dans la mijoteuse, ajoutez les oignons, l'ail, le gingembre, le coulis de tomates, les piments verts et le sucre de palme. Faites cuire pendant 3 heures 30 à chaleur vive.

Servez le porc vindaloo accompagné de riz.

NOTE : le porc vindaloo est un plat goais dont l'origine vient du mot *vinha d'alhos*, la marinade de base de la cuisine portugaise ; le porc, qui arrivait autrefois à Goa par bateau portugais, avait traversé les mers stocké dans des tonneaux à vinaigre pour être mieux conservé. Il était ensuite cuisiné avec les épices et aromates locales.

POITRINE DE PORC AUX CHAMPIGNONS

POUR **6 personnes**
PRÉPARATION : **15 min**
CUISSON : **7 h**

> 1 kg de poitrine de porc
> 50 cl de bouillon de volaille
> 4 cuill. à soupe de sauce soja foncée
> 4 cuill. à soupe de vin de riz chinois (voir NOTE p. 172)
> 6 champignons shiitakés séchés
> 4 gousses d'ail pilées
> 5 morceaux de gingembre frais de 5 cm de long émincés
> 1 morceau de zeste d'orange séché
> 2 cuill. à café de grains de poivre du Sichuan
> 2 gousses d'anis étoilé
> 1 bâton de cannelle
> 2 cuill. à soupe de sucre chinois (ou de sucre candi, voir NOTE)
> 1 cuill. à café d'huile de sésame
> 3 oignons blancs finement émincés en biais

> certains de ces ingrédients se trouvent dans les épiceries asiatiques.

Réunissez dans la mijoteuse la poitrine de porc, le bouillon de volaille, la sauce soja, le vin de riz chinois, les champignons shiitakés, l'ail, le gingembre, le zeste d'orange, les grains de poivre du Sichuan, l'anis étoilé, le bâton de cannelle, le sucre chinois et l'huile de sésame. Laissez mijoter pendant 6 heures à chaleur douce. Sortez le porc de la mijoteuse et réservez.

Filtrez le liquide dans un saladier, réservez les champignons, puis remettez le liquide dans la mijoteuse. Augmentez la température. Poursuivez la cuisson pendant 1 heure à chaleur vive et à découvert pour faire épaissir la sauce. Environ 15 minutes avant la fin de la cuisson, faites réchauffer le porc et les champignons dans la mijoteuse.

Sortez le porc et découpez-le en tranches de 1 cm d'épaisseur. Dressez celles-ci sur un plat de service avec les champignons, arrosez-les de sauce, parsemez-les d'oignon et accompagnez le tout de riz.

NOTE : sucre de canne à gros cristaux, le sucre chinois (*chinese rock sugar*) ressemble au sucre candi. Il enrichit les préparations de sa saveur intense, notamment les plats braisés, en leur donnant un aspect brillant et translucide.

MAPO TOFU AU PORC

POUR **4 à 6 personnes**
PRÉPARATION : **20 min**
CUISSON : **2 h 30 environ**

> 2 cuill. à soupe de haricots noirs fermentés
> 400 g de porc haché
> 1 cuill. à soupe de gingembre frais finement haché
> 3 oignons nouveaux finement hachés
> 10 cl de bouillon de volaille
> 2 cuill. à soupe de sauce soja
> 1 cuill. à soupe de pâte de haricots aux piments (voir NOTES)
> 2 cuill. à soupe de vin de riz chinois (voir NOTE p. 172)
> 450 g de tofu coupé en cubes de 1 ou 2 cm de côté
> 2 gousses d'ail hachées
> 1 cuill. à soupe de fécule de maïs
> 2 cuill. à café d'huile de sésame
> oignons blancs émincés en biais

> certains de ces ingrédients se trouvent dans les épiceries asiatiques.

Faites tremper les haricots noirs pendant 5 minutes dans un saladier d'eau froide. Égouttez-les et hachez-les finement.

Mettez les haricots dans la mijoteuse avec le porc, le gingembre, les oignons nouveaux, le bouillon de volaille, la sauce soja, la pâte de haricots aux piments et le vin de riz chinois. Laissez mijoter pendant 2 heures à chaleur douce.

Ajoutez les cubes de tofu et l'ail, puis remuez délicatement pour enrober le tofu de sauce. Versez la fécule de maïs et l'huile de sésame, puis prolongez la cuisson de 20 à 30 minutes pour faire épaissir la sauce.

Parsemez le *mapo tofu* d'oignons émincés avant de le servir accompagné de riz.

NOTES :
• Le *mapo tofu* est l'un des plats les plus connus du Sichuan.
• Assaisonnement incontournable de la cuisine du Sichuan, la pâte de haricots aux piments est aussi parfois appelée sauce de haricots pimentée, sauce piquante aux haricots ou sauce du Sichuan.

RAGOÛT DE BŒUF À L'ANIS ÉTOILÉ ET AU POIVRE DU SICHUAN

POUR **4 personnes**
PRÉPARATION : **20 minutes**
CUISSON : **3 h**

> 1 kg de bœuf dans le paleron
> 1 $\frac{1}{2}$ cuill. à soupe de farine
> 1 gros oignon rouge émincé
> 2 gousses d'ail pilées
> 3 cuill. à soupe de concentré de tomate
> 25 cl de vin rouge
> 25 cl de bouillon de bœuf
> 2 feuilles de laurier réduites en poudre
> 3 longues lanières de zeste d'orange de 1 ou 2 cm de largeur
> 2 gousses d'anis étoilé
> 1 cuill. à café de grains de poivre du Sichuan (au rayon épicerie fine des supermarchés, voir NOTE)
> 1 cuill. à café de thym effeuillé
> 1 cuill. à soupe de romarin haché
> 3 cuill. à soupe de coriandre ciselée
> sel et poivre noir du moulin

Parez le bœuf et coupez-le en cubes de 3 cm de côté. Mettez ceux-ci dans la mijoteuse avec la farine, l'oignon, l'ail, le concentré de tomate, le vin rouge, le bouillon de bœuf, le laurier, les lanières de zeste d'orange, l'anis étoilé, le poivre du Sichuan, le thym et le romarin. Faites cuire pendant 3 heures à chaleur vive.

Salez et poivrez. Mélangez une partie de la coriandre et parsemez le reste en surface. Servez le ragoût de bœuf accompagné de riz.

NOTE : comme son nom l'indique, le poivre du Sichuan est originaire de Chine. Ses baies charnues sont particulièrement aromatiques, pétillantes en bouche, légèrement anesthésiantes et citronnées.

AGNEAU SAAG

POUR **4 personnes**
PRÉPARATION : **30 min**
MARINADE : **12 h**
CUISSON : **5 h**

> 1 kg d'épaule ou de gigot
d'agneau désossés
> 2 bâtons de cannelle
> 4 feuilles de curry fraîches
(dans les épiceries indiennes,
voir NOTE p. 82)
> 25 cl de bouillon de bœuf
> 400 g d'épinards

Pour la marinade
> 1 cuill. à café de graines
de fenugrec
> 1 cuill. à café de graines de cumin
> 1 cuill. à café de graines
de moutarde (dans les épiceries
indiennes, voir NOTES)
> 2 oignons coupés en dés
> 2 petits piments rouges épépinés
et coupés en dés
> 2 gousses d'ail finement hachées
> 2 cuill. à café de gingembre
frais râpé

Pour le yaourt à la coriandre
> 125 g de yaourt à la grecque
> 1 cuill. à soupe de jus de citron
> 1 petite poignée
de coriandre ciselée

Dégraissez l'agneau, puis coupez-le en cubes de 3 cm de côté. Mettez ceux-ci dans un grand saladier.

Préparez la marinade. À l'aide d'un mortier et d'un pilon (ou d'un moulin à épices), pilez les graines de fenugrec, de cumin et de moutarde. Mélangez les épices avec les dés d'oignon et de piments rouges, l'ail et le gingembre. Ajoutez ce mélange dans le saladier et remuez soigneusement pour en enrober l'agneau. Couvrez et laissez mariner toute la nuit au réfrigérateur.

Mettez les morceaux d'agneau dans la mijoteuse avec les bâtons de cannelle, les feuilles de curry et le bouillon de bœuf. Faites cuire pendant 4 heures à chaleur vive. Ajoutez les épinards et poursuivez la cuisson pendant 1 heure.

Préparez le yaourt à la coriandre en mélangeant les trois ingrédients.

Servez l'agneau avec le yaourt à la coriandre, accompagné de riz basmati cuit à la vapeur.

NOTES :
• Le *saag* est un plat typique du nord de l'Inde, préparé à base d'épinards, de feuilles de moutarde noire et d'épices.
• Les graines de moutarde sont très utilisées en Inde. Pour faire ressortir leur parfum, on peut les faire griller avant de les cuisiner.

AGNEAU DE MADRAS

POUR **4 personnes**
PRÉPARATION : **25 min**
MARINADE : **2 à 12 h**
CUISSON : **4 h**

> 1 kg d'épaule ou de gigot
d'agneau désossés
> 60 g de pâte de curry de Madras
(dans les épiceries indiennes)
> 1 oignon finement haché
> 6 gousses de cardamome
> 4 clous de girofle
> 2 feuilles de laurier
> 1 bâton de cannelle
> 185 g de yaourt à la grecque
> 1 pincée de garam masala
(voir NOTE p. 170)
> 2 piments rouges hachés
(facultatif)
> sel du moulin

Dégraissez l'agneau et coupez-le en cubes de 3 cm de côté. Réunissez ceux-ci dans un grand saladier avec la pâte de curry et remuez pour bien les enrober de pâte. Couvrez et laissez mariner pendant 2 heures au moins au réfrigérateur (si possible toute la nuit).

Mettez l'agneau dans la mijoteuse avec l'oignon, la cardamome, les clous de girofle, les feuilles de laurier, le bâton de cannelle et le yaourt. Faites cuire pendant 4 heures à chaleur vive.

Salez et saupoudrez l'agneau de Madras de garam masala. Parsemez-le, éventuellement, de piments rouges avant de le servir accompagné de riz.

CURRY MUSSAMAN

POUR **4 personnes**
PRÉPARATION : **20 min**
CUISSON : **4 h**

> 800 g de bœuf dans le paleron
> 2 ou 3 pommes de terre
> 2 bâtons de cannelle
> 10 gousses de cardamome
> 5 clous de girofle
> 2 cuill. à soupe de pâte
de curry mussaman
> 25 cl de lait de coco
> 1 morceau de gingembre frais
de 2 cm de long coupé en lamelles
> 4 cuill. à soupe de sauce
nuoc-mâm (voir NOTE p. 36)
> 4 cuill. à soupe de sucre de palme
râpé ou de cassonade
(voir NOTE p. 172)
> 100 g de cacahuètes salées
et grillées
> 3 cuill. à soupe de pâte de tamarin
(voir NOTE)
sel et poivre noir du moulin

Parez le bœuf et coupez-le en cubes de 5 cm de côté. Coupez les pommes de terre en morceaux de 2 ou 3 cm d'épaisseur.

Mettez les morceaux de viande et de pomme de terre dans la mijoteuse avec les bâtons de cannelle, la cardamome, les clous de girofle, la pâte de curry, le lait de coco, le gingembre, la sauce nuoc-mâm, le sucre, les trois quarts des cacahuètes et la pâte de tamarin. Faites cuire pendant 4 heures à chaleur vive.

Salez et poivrez , puis servez le curry mussaman, parsemé du reste de cacahuètes, dans des bols individuels, et accompagné de riz.

NOTE : la pâte de tamarin est la pulpe naturelle qui enveloppe les graines à l'intérieur de la gousse de tamarin. Seule cette pulpe est comestible et ressemble à celle du pruneau. On la trouve sous forme de pâte en bloc ou d'extrait liquide dans les épiceries indiennes.

AGNEAU AUX OLIVES VERTES ET AU CITRON CONFIT

POUR **4 personnes**
PRÉPARATION : **30 min**
CUISSON : **3 h**

> 1/2 citron confit
> 1 kg de côtes d'agneau découvertes
> 1 oignon émincé
> 2 gousses d'ail pilées
> 1 morceau de gingembre frais de 2 cm de long, coupé en petits dés
> 1 cuill. à café de cumin en poudre
> 1/2 cuill. à café de curcuma
130 g d'olives vertes
> 60 cl de bouillon de volaille
> 400 g de pommes de terre coupées en cubes de 2 cm de côté
> 2 cuill. à soupe de persil plat ciselé
> 2 cuill. à soupe de coriandre ciselée
>sel et poivre noir du moulin

Rincez le citron confit, retirez et jetez la pulpe, puis coupez le zeste en petits dés. Dégraissez les côtes d'agneau, puis partagez-les en deux.

Mettez l'agneau et le zeste de citron confit dans la mijoteuse avec l'oignon, l'ail, les dés de gingembre, le cumin, le curcuma, les olives vertes et le bouillon de volaille. Faites cuire 2 heures à chaleur vive.

Ajoutez les cubes de pomme de terre ainsi que la moitié du persil plat et de la coriandre. Poursuivez la cuisson pendant 1 heure.

Ajoutez le reste de persil plat et de coriandre, puis mélangez. Salez et poivrez avant de servir l'agneau aux olives et au citron confit accompagné de riz.

AGNEAU KORMA

POUR **4 à 6 personnes**
PRÉPARATION : **20 min**
CUISSON : **3 h 10**

> 1 kg d'épaule ou de gigot
d'agneau désossés
> 2 cuill. à soupe de yaourt
à la grecque
> 60 g de pâte korma (dans le rayon
cuisine indienne des supermarchés)
2 oignons
> 2 cuill. à soupe de noix
de coco râpée
> 3 piments verts
grossièrement hachés
> 4 gousses d'ail pilées
> 1 morceau de gingembre frais
de 5 cm de long, râpé
> 50 g de noix de cajou
> 6 clous de girofle
> 1 pincée de cannelle en poudre
> 10 cl de bouillon de volaille
> 6 gousses de cardamome pilées
> 2 cuill. à soupe de crème
fraîche liquide
> 1 poignée de coriandre
> sel et poivre noir du moulin

Dégraissez l'agneau et coupez-le en cubes de 2 ou 3 cm de côté. Mettez ceux-ci dans un saladier avec le yaourt et la pâte korma. Remuez soigneusement pour bien enrober l'agneau.

Hachez grossièrement 1 oignon et émincez finement l'autre. Mettez l'oignon haché dans le bol d'un robot avec la noix de coco râpée, les piments verts, l'ail, le gingembre, les noix de cajou, les clous de girofle et la cannelle. Ajoutez le bouillon de volaille et mixez jusqu'à obtention d'une préparation onctueuse. Vous pouvez aussi hacher finement les ingrédients avec un couteau avant de verser le bouillon.

Réunissez dans la mijoteuse les morceaux d'agneau, la préparation aux épices, l'oignon émincé, la cardamome et 1 pincée de sel. Faites cuire pendant 3 heures à chaleur vive.

Versez et mélangez la crème fraîche, puis laissez chauffer pendant 10 minutes. Salez et poivrez.

Servez le curry korma, parsemé de feuilles de coriandre, dans des bols individuels, accompagné de riz.

NOTE : Les *korma* sont des currys indiens à base épicée mais adoucie par du lait, du yaourt, de la crème ou encore du lait de coco. La poudre de *korma* est un mélange d'épices broyées (cumin, cannelle, cardamome, girofle, curcuma ou safran, piment rouge et amandes...) ; elle est très facile à réaliser soi-même.

RAGOÛT D'AGNEAU
À L'AFRICAINE

POUR **4 à 6 personnes**
PRÉPARATION : **30 min**
CUISSON : **4 h 30 à 6 h 30**
environ

> 1 kg d'agneau désossé (tranches de gigot, par exemple)
> 3 cuill. à café de poudre de curry
> 1 cuill. à café d'origan séché
> 1 pincée de piment de Cayenne
> 1 gros oignon haché
> 1 grosse carotte coupée en morceaux
> 1 poivron rouge épépiné et haché
> 500 g de patates douces orange, coupées en cubes de 2 cm de côté
> 4 gousses d'ail hachées
> 1 piment rouge (ou vert) épépiné et finement haché
> 400 g de tomates concassées en conserve
> 10 cl de sauce tomate
> 2 feuilles de laurier
> 90 g de beurre de cacahuètes
> 1 cuill. à soupe de jus de citron
> 15 cl de lait de coco
> 150 g de petits pois frais (ou surgelés)
> sel et poivre noir du moulin

Dégraissez l'agneau, puis coupez-le en cubes de 2 cm de côté. Mettez ceux-ci dans un grand saladier. Assaisonnez-les avec la poudre de curry, l'origan, le piment de Cayenne, puis salez et poivrez. Remuez soigneusement pour bien enrober l'agneau.

Ajoutez l'oignon, les morceaux de carotte, le poivron, les cubes de patates douces, l'ail, le piment, les tomates concassées, la sauce tomate et les feuilles de laurier. Mélangez intimement. Mettez l'agneau et les légumes dans la mijoteuse, puis faites cuire de 4 à 6 heures à chaleur vive.

Réunissez le beurre de cacahuètes, le jus de citron et le lait de coco dans un petit saladier. Environ 30 minutes avant la fin de la cuisson, versez cette préparation dans la mijoteuse et remuez délicatement. Ajoutez les petits pois et laissez chauffer 5 minutes supplémentaires.

Retirez les feuilles de laurier de la mijoteuse. Servez le ragoût aux cacahuètes accompagné de riz ou de couscous cuits à la vapeur.

GIGOT D'AGNEAU À L'INDIENNE

POUR **4 à 6 personnes**
PRÉPARATION : **30 min**
MARINADE : **24 h**
CUISSON : **7 h 40 environ**

> 1 gigot d'agneau de 1,2 kg
> 100 g de yaourt nature
> 2 jaunes d'œufs

Pour la marinade
> 1 oignon grossièrement haché
> 4 gousses d'ail
> 1 morceau de gingembre frais
de 4 cm de long, coupé en dés
> 2 cuill. à soupe
de coriandre ciselée
> 1/2 cuill. à café de cannelle
en poudre
> 1/2 cuill. à café de graines
de cardamome
> 2 cuill. à café de cumin en poudre
> 1/2 cuill. à café de piment
en poudre
> 1 cuill. à café de curcuma
> 1/2 cuill. à café de garam masala
(dans les épiceries indiennes,
voir NOTE p. 170)
> 2 cuill. à café de curry en poudre
> 200 g de yaourt nature
> le jus de 1/2 citron
> 1 pincée de sel

La veille, préparez la marinade. Mettez l'oignon, l'ail, les dés de gingembre et la coriandre dans le bol d'un robot, puis mixez jusqu'à obtention d'une pâte homogène. Ajoutez la cannelle, la cardamome, le cumin, le piment, le curcuma, le garam masala, le curry et 1 pincée de sel. Mixez de nouveau. Versez le yaourt nature et le jus de citron, puis mélangez.

Rincez et essuyez le gigot. Entaillez sa surface à l'aide d'un couteau pointu, puis enrobez-le de marinade, en remplissant bien les entailles. Couvrez de film alimentaire et laissez mariner 24 heures au réfrigérateur.

Le lendemain, mettez le gigot mariné dans la mijoteuse, puis laissez mijoter pendant 7 heures à chaleur douce. Sortez le gigot de la mijoteuse, couvrez et réservez.

Mélangez le yaourt nature avec les jaunes d'œufs. Versez la préparation dans le jus de la mijoteuse et laissez épaissir la sauce de 20 à 30 minutes, en remuant de temps à autre.

Remettez le gigot dans la mijoteuse et faites chauffer 10 minutes.

Découpez le gigot, puis servez-le nappé de sauce au yaourt et accompagné de riz.

AGNEAU MAROCAIN À LA CITROUILLE

POUR **6 personnes**
PRÉPARATION : **20 min**
CUISSON : **5 h**

> 1 épaule d'agneau désossée
de 1,5 kg
> 1 gros oignon coupé en dés
> 1 cuill. à café de coriandre
en poudre
> 1/2 cuill. à café de gingembre
en poudre
> 1/2 cuill. à café de piment
de Cayenne
> 1 pincée de safran en poudre
> 1 bâton de cannelle
> 50 cl de bouillon de volaille
> 500 g de citrouille coupée en dés
de 2 cm de côté
> 100 g d'abricots secs
> feuilles de coriandre
> sel et poivre noir du moulin

Dégraissez l'agneau et coupez-le en cubes de 3 cm de côté. Mettez ceux-ci dans la mijoteuse avec les dés d'oignon, la coriandre, le gingembre, le piment de Cayenne, le safran, la cannelle, le bouillon de volaille et les dés de citrouille. Laissez mijoter pendant 4 heures à chaleur douce.

Ajoutez les abricots secs, puis poursuivez la cuisson pendant 1 heure.

Salez et poivrez. Servez l'agneau à la citrouille parsemé de feuilles de coriandre sur un plat de service chaud, accompagné de riz ou de couscous.

JARRETS D'AGNEAU À LA TOMATE, AU PIMENT ET AU MIEL

POUR **4 personnes**
PRÉPARATION : **15 min**
CUISSON : **8 h**

> 8 jarrets d'agneau
> 2 gousses d'ail finement émincées
> 1 gros oignon émincé
> 25 cl de vin rouge
> 2 cuill. à café d'origan séché
> 1/2 cuill. à café de piment
en poudre
> 500 g de coulis de tomates
> 25 cl de bouillon de volaille
90 g de miel
> 1 cuill. à soupe de persil plat ciselé
sel et poivre du moulin

Réunissez dans la mijoteuse les jarrets d'agneau, l'ail, l'oignon, le vin rouge, l'origan, le piment, le coulis de tomates, le bouillon de volaille et le miel. Laissez mijoter pendant 8 heures à chaleur douce.

Ajoutez le persil plat, salez et poivrez, puis servez les jarrets d'agneau au miel accompagnés de riz.

ROGAN JOSH

POUR **6 personnes**
PRÉPARATION : **20 min**
MARINADE : **2 à 12 h**
CUISSON : **6 h**

> 1 kg d'épaule ou de gigot
d'agneau désossés
> 1 oignon finement haché
> 6 gousses de cardamome pilées
> 4 clous de girofle
> 2 feuilles de laurier
> 1 bâton de cannelle
> 200 g de yaourt nature
> 4 pistils de safran
> 2 cuill. à soupe de lait chaud
> 1/2 cuill. à café de garam masala
(dans les épiceries indiennes,
voir NOTE p. 170)
> feuilles de coriandre
> sel du moulin (facultatif)

Pour la marinade
> 3 gousses d'ail pilées
> 1 morceau de gingembre frais
de 6 cm de long, râpé
> 2 cuill. à café de cumin en poudre
> 1 cuill. à café de piment en poudre
> 2 cuill. à café de paprika
> 2 cuill. à café de coriandre
en poudre

La veille, dégraissez l'agneau, puis coupez-le en cubes de 4 cm de côté.

Mélangez, dans un grand saladier, l'ail, le gingembre, le cumin, le piment, le paprika et la coriandre. Ajoutez les cubes d'agneau et remuez soigneusement pour bien les enrober de marinade. Couvrez, puis laissez mariner au moins 2 heures au réfrigérateur (si possible toute la nuit).

Le lendemain, mettez les morceaux d'agneau marinés dans la mijoteuse. Ajoutez l'oignon, la cardamome, les clous de girofle, les feuilles de laurier, la cannelle, le yaourt nature et 4 cuillerées à soupe d'eau. Laissez mijoter pendant 6 heures à chaleur douce.

Faites infuser le safran pendant 10 minutes dans le lait chaud. Juste avant la fin de la cuisson, versez le lait épicé dans la mijoteuse, ainsi que le garam masala.

Salez, au besoin. Servez le *rogan josh* parsemé de feuilles de coriandre, accompagné de riz.

NOTE : Le *rogan josh* est un curry d'agneau originaire du Cachemire. Grand classique de la gastronomie indienne, il est aussi très populaire au Pakistan et au Royaume-Uni, notamment.

CÉRÉALES
ET LÉGUMINEUSES

POLENTA AUX LÉGUMES

POUR **4 à 6 personnes**
PRÉPARATION : **20 min**
CUISSON : **2 ou 3 h**

> 2 cuill. à soupe d'huile d'olive
> 300 g de polenta
> 1 pincée de paprika
> 1 pincée de piment de Cayenne
> 1,5 l de bouillon de légumes
(ou d'eau)
> 3 oignons nouveaux hachés
> 1 grosse tomate concassée
> 1 courgette hachée
> 1 poivron rouge (ou vert)
épépiné et haché
> 300 g de chair de citrouille
coupée en dés de 1 ou 2 cm de côté
> 100 g de champignons
de Paris hachés
> 300 g de maïs
en conserve, égoutté
> 100 g de parmesan
fraîchement râpé
> 1 poignée de persil plat ciselé
> 10 cl de crème fraîche liquide
(facultatif)
> sel et poivre noir du moulin

Graissez le fond et les parois de la mijoteuse avec 1 cuillerée à soupe d'huile d'olive. Ajoutez la polenta, le paprika, le piment de Cayenne, 1 cuillerée à café de sel et du poivre noir du moulin. Versez le bouillon de légumes et le reste d'huile d'olive, puis remuez.

Ajoutez les oignons, la tomate concassée, la courgette, le poivron, les dés de citrouille, les champignons et le maïs, puis mélangez soigneusement. Faites cuire pendant 2 ou 3 heures à chaleur vive, en remuant de temps en temps avec une fourchette pour éviter que la polenta n'attache au fond de la mijoteuse. Vérifiez après 2 heures de cuisson si les légumes sont cuits.

Mélangez le parmesan, le persil plat et éventuellement la crème fraîche, et versez le tout dans la mijoteuse. Salez et poivrez, au besoin.

Servez la polenta aux légumes accompagnée d'une salade verte.

NOTE : cette préparation peut être servie seule ou en accompagnement de viandes grillées au barbecue.

KEDGEREE

POUR **4 personnes**
PRÉPARATION : **15 min**
CUISSON : **3 h**

> 500 g de riz précuit à grains longs
> 1 oignon finement haché
> 2 cuill. à soupe de pâte de curry douce (jaune)
> 1 cuill. à café de cumin en poudre
> 2 feuilles de laurier
> 50 cl de bouillon de volaille (ou de fumet de poisson)
> 500 g de filets de saumon sans peau ni arêtes
> 10 cl de crème fraîche liquide
> 50 g de beurre
> 150 g de petits pois frais (ou surgelés)
> 2 cuill. à soupe de persil plat ciselé
> 2 cuill. à soupe de jus de citron
> sel et poivre noir du moulin

Réunissez dans la mijoteuse le riz précuit, l'oignon, la pâte de curry, le cumin et les feuilles de laurier. Versez le bouillon de volaille et 25 cl d'eau. Laissez mijoter pendant 2 heures 30 à chaleur douce ; le riz doit être presque tendre.

Préparez le saumon : vérifiez s'il reste des arêtes et retirez-les avec les doigts ou des pinces. Détaillez les filets en cubes de 3 cm de côté.

Déposez le saumon sur le riz, dans la mijoteuse. Ajoutez la crème fraîche, le beurre, les petits pois, puis prolongez la cuisson de 30 minutes.

Parsemez le *kedgeree* de persil plat et arrosez-le de jus de citron. Salez et poivrez avant de servir.

NOTE : le *kedgeree* est une recette anglaise d'origine indienne.

POULET ARMÉNIEN AU RIZ PILAF

POUR **4 personnes**
PRÉPARATION : **25 min**
CUISSON : **4 ou 5 h**

> 1 cuill. à soupe d'huile végétale
> 1 poulet de 1,2 kg
> 1 citron
> 2 gousses d'ail pilées
> 3 branches de thym
> 2 cuill. à soupe d'huile d'olive
> 1 pincée de paprika
> sel et poivre noir du moulin

Pour le riz pilaf
> 200 g de riz précuit à grains longs
> 50 g de vermicelles coupés
en petits morceaux
> 40 g de pignons de pin
> 30 g de beurre fondu
> 50 cl de bouillon de volaille

Graissez le fond et les parois de la cocotte de la mijoteuse avec l'huile végétale. Rincez le poulet, puis essuyez-le avec du papier absorbant. Râpez finement la moitié du zeste du citron et réservez. Détaillez le citron en quartiers. Remplissez l'intérieur du poulet avec les quartiers de citron, l'ail et les branches de thym. Attachez les cuisses avec de la ficelle ou une brochette, puis mettez le poulet dans la mijoteuse, la poitrine vers le haut. Badigeonnez la poitrine et les cuisses du poulet d'huile d'olive. Saupoudrez-les de paprika, salez et poivrez, puis faites cuire pendant 1 heure à chaleur vive.

Préparez le riz pilaf. Réunissez le riz précuit, les vermicelles et les pignons de pin dans un grand saladier. Mélangez le beurre fondu et le zeste de citron préalablement râpé et réservé, puis versez le bouillon de volaille. Ajoutez la préparation dans la mijoteuse, en la répartissant tout autour du poulet et en mouillant bien le riz et les vermicelles.

Poursuivez la cuisson pendant 3 ou 4 heures, en remuant une ou deux fois le riz et les vermicelles. Vérifiez la cuisson du poulet en le piquant dans une cuisse ; le jus doit être transparent.

Sortez le poulet de la mijoteuse et retirez la ficelle ou la brochette. Découpez-le, puis servez le poulet avec le riz pilaf, accompagné d'une salade ou de légumes vapeur.

CURRY DE POULET AUX PATATES DOUCES ET AUX POIS CASSÉS

POUR **4 à 6 personnes**
PRÉPARATION : **20 min**
TREMPAGE : **6 à 12 h**
CUISSON : **3 ou 4 h**

> 220 g de pois cassés jaunes
(dans les épiceries orientales)
> 2 blancs de poulet
> 1 cuill. à soupe d'huile végétale
> 1 oignon rouge haché
> 2 gousses d'ail pilées
> 1 cuill. à soupe de gingembre
frais râpé
> 3 cuill. à café de curry en poudre
> 100 g de haricots verts épluchés
et coupés en tronçons
de 4 cm de long
> 500 g de patates douces orange
coupées en cubes de 2 cm de côté
> 400 g de tomates concassées
en conserve
> 25 cl de bouillon de volaille
> 10 cl de crème fraîche liquide
> 1 petite poignée
de coriandre ciselée
> sel et poivre du moulin

La veille, faites tremper les pois cassés au moins 6 heures ou toute la nuit dans une grande quantité d'eau, puis égouttez-les.

Le jour même, dégraissez les blancs de poulet puis coupez-les en cubes de 2 cm de côté.

Graissez le fond et les parois de la mijoteuse avec l'huile végétale. Mettez-y l'oignon rouge, l'ail, le gingembre, le curry, les pois cassés égouttés et les haricots verts, ainsi que les cubes de poulet et de patates douces. Versez les tomates concassées et le bouillon de volaille. Salez et poivrez.

Faites cuire pendant 3 ou 4 heures à chaleur vive, en remuant de temps en temps.

Ajoutez la crème fraîche et la coriandre, puis mélangez et faites chauffer quelques minutes supplémentaires.

Servez le curry de poulet accompagné de riz basmati.

POULET AU VIN DE RIZ CHINOIS

POUR **4 personnes**
PRÉPARATION : **15 min**
CUISSON : **3 h**

> 1 poulet de 1,5 kg
> 2 lamelles de gingembre frais
> 2 gousses d'ail pilées
> 2 oignons nouveaux (sans le vert) émincés
> 1 gousse d'anis étoilé
> 250 g de riz précuit à grains longs
> 25 cl de vin de riz chinois (dans les épiceries asiatiques, voir NOTE p. 172)
> 25 cl de bouillon de volaille
> sauce soja claire

Dégraissez l'intérieur du poulet, puis farcissez-le avec le gingembre, l'ail, les oignons nouveaux et l'anis étoilé.

Mettez le riz précuit dans la mijoteuse. Mouillez-le avec le vin de riz chinois et le bouillon de volaille, puis déposez le poulet.

Faites cuire pendant 3 heures à chaleur vive. Vérifiez la cuisson du poulet en le piquant dans une cuisse : le jus qui perle doit être transparent.

Arrosez le poulet au vin de riz de sauce soja avant de le servir.

POULET MEXICAIN

POUR **4 personnes**
PRÉPARATION : **10 min**
CUISSON : **4 h**

> 1 cuill. à soupe d'huile végétale
> 600 g de cuisses de poulet désossées et sans la peau
> 330 g de riz précuit à grains courts
> 400 g de haricots rouges en conserve, égouttés et rincés
> 400 g de sauce à tacos
> 25 cl de bouillon de volaille
> 250 g de gruyère râpé
> 125 g de crème fraîche
> 1 poignée de coriandre ciselée

Graissez la cocotte de la mijoteuse avec de l'huile végétale. Dégraissez les cuisses de poulet et coupez-les en deux.

Mettez le riz précuit dans la mijoteuse, puis ajoutez les morceaux de poulet, les haricots rouges, la sauce à tacos, le bouillon de volaille et le gruyère râpé.

Laissez mijoter pendant 4 heures à chaleur douce.

Servez le poulet mexicain garni de crème fraîche et parsemé de coriandre.

ARROZ CON POLLO

POUR **6 personnes**
PRÉPARATION : **20 min**
CUISSON : **9 h environ**

> 4 tomates bien mûres
> 2 kg de découpes de poulet,
sans la peau
> 100 g de chorizo coupé
en rondelles
> 1 gros oignon finement haché
> 1 poivron vert épépiné
et coupé en dés
> 1 cuill. à soupe de paprika doux
> 1 long piment rouge épépiné
et finement haché
> 2 gousses d'ail pilées
> 25 cl de bouillon de volaille
> 2 $\frac{1}{2}$ cuill. à soupe de concentré
de tomate
> 5 ou 6 cuill. à soupe de xérès
> 1 pincée de safran (facultatif)
> 400 g de riz précuit
> 100 g de petits pois surgelés
> 3 cuill. à soupe de persil plat ciselé
> 50 g d'olives vertes farcies
(facultatif)
> sel et poivre noir du moulin

Taillez une croix à la base de chaque tomate. Faites-les tremper 30 secondes dans de l'eau bouillante, dans un saladier résistant à la chaleur. Rafraîchissez-les dans de l'eau froide, égouttez-les et pelez-les à partir de la croix. Coupez-les en deux, retirez les pépins avec une cuillère à café et hachez grossièrement la pulpe.

Réunissez dans la mijoteuse la pulpe de tomate, les découpes de poulet, les rondelles de chorizo, l'oignon, les dés de poivron, le paprika, le piment, l'ail, le bouillon de volaille, le concentré de tomate, le xérès et, éventuellement, le safran.

Laissez mijoter pendant 8 heures à chaleur douce.

Ajoutez le riz précuit dans la mijoteuse et remuez pour l'enrober de sauce. Poursuivez la cuisson pendant 1 heure, jusqu'à ce que le liquide soit absorbé.

Ajoutez les petits pois, couvrez et laissez chauffer encore 5 minutes.

Salez, poivrez, puis servez l'*arroz con pollo* parsemé de persil plat et, éventuellement, garni des olives farcies.

NOTE : l'*arroz con pollo*, littéralement « riz au poulet », est une recette typique en Amérique latine.

RISOTTO D'ORGE ET DE RIZ BRUN À LA CITROUILLE ET AU POULET

POUR **4 personnes**
PRÉPARATION : **20 min**
TREMPAGE : **8 à 12 h**
CUISSON : **3 h à 3 h 35**

> 330 g de riz brun à grains courts (dans les épiceries bio)
> 110 g d'orge perlé (dans les épiceries bio)
> 1 blanc de poulet
> 1 cuill. à soupe d'huile d'olive
> 1 oignon rouge finement haché
> 350 g de chair de citrouille épépinée et coupée en dés de 1 cm de côté
> 12 feuilles de sauge + quelques feuilles pour le service (facultatif)
> 1 cuill. à café de bouillon de légumes ou de volaille en poudre (facultatif)
> 4 cuill. à soupe de vin blanc
> 150 g de petits pois frais (ou surgelés)
> 50 g de parmesan fraîchement râpé + un peu pour le service
> sel et poivre noir du moulin

Mettez le riz brun et l'orge perlé dans un saladier, puis couvrez avec 1 l d'eau. Laissez tremper au moins 8 heures, si possible toute la nuit.

Dégraissez le poulet, puis coupez-le en cubes. Graissez la cocotte de la mijoteuse avec l'huile d'olive. Mettez le riz et l'orge dans la mijoteuse, avec le liquide de trempage. Ajoutez les morceaux de poulet, l'oignon, les dés de citrouille et les feuilles de sauge. Délayez, éventuellement, le bouillon de légumes dans le vin blanc, puis versez le mélange dans la mijoteuse. Salez et poivrez.

Faites cuire pendant 3 heures environ à chaleur vive, en remuant de temps en temps, jusqu'à ce que le liquide soit absorbé. Si le riz et l'orge ne sont pas suffisamment tendres, prolongez la cuisson de 20 à 30 minutes.

Mélangez la préparation soigneusement à l'aide d'une fourchette pour lui donner un aspect crémeux. Ajoutez les petits pois et le parmesan râpé, puis laissez chauffer 5 minutes supplémentaires.

Salez et poivrez, puis servez le risotto garni de parmesan râpé dans des bols individuels.

NOTE : vous obtiendrez une variante végétarienne de ce plat en laissant de côté le poulet et le bouillon de volaille.

HARICOTS DE BOSTON AU JAMBON

POUR 6 personnes
PRÉPARATION : 20 min
TREMPAGE : 12 h
CUISSON : 8 h 30 à 10 h 30

> 400 g de haricots blancs secs
> 1 gros oignon finement haché
> 1 jambon de 1,5 kg
> 1 feuille de laurier
> 4 cuill. à soupe de mélasse
(dans les épiceries fines ou bio)
(ou de sirop d'érable)
> 80 g de cassonade
> 160 g de concentré de tomate
> 2 cuill. à soupe
de Worcestershire sauce
> 1 cuill. à soupe de moutarde
> 1 gousse d'ail

Faites tremper les haricots blancs toute la nuit dans une grande casserole d'eau. Égouttez-les, puis faites-les bouillir pendant 10 minutes dans de l'eau. Rincez et égouttez de nouveau.

Mettez les haricots dans la mijoteuse avec l'oignon, le jambon, la feuille de laurier, la mélasse, la cassonade, le concentré de tomate, la Worcestershire sauce, la moutarde, l'ail et 75 cl d'eau. Laissez mijoter de 8 à 10 heures à chaleur douce.

Sortez le jambon de la mijoteuse et laissez-le refroidir, puis séparez la viande de l'os. Détachez celle-ci en petits morceaux. Remettez-la dans la mijoteuse et remuez délicatement. Prolongez la cuisson de 30 minutes à découvert, jusqu'à ce que la sauce soit épaisse et sirupeuse.

Servez les haricots de Boston accompagnés de toasts beurrés ou de pain de maïs.

NOTE : plat typique du nord des États-Unis, les haricots de Boston, cuits à l'étouffée, font partie des recettes qui sont entrées dans le patrimoine historique de la ville, surnommée « Beantown ».

RAGOÛT DE HARICOTS AUX SAUCISSES

POUR **6 personnes**
PRÉPARATION : **20 min**
TREMPAGE : **12 h**
CUISSON : **7 h 30 environ**

> 300 g de haricots blancs secs
> 300 g de haricots noirs secs
(dans les épiceries bio)
> 6 tranches de bacon
coupées en lanières
> 4 petits oignons coupés en quatre
> 10 gousses d'ail pelées
> 3 carottes longues et fines,
coupées en rondelles
de 3 cm d'épaisseur
> 3 feuilles de laurier
> 7 branches d'origan effeuillées
> 1 petit piment rouge fendu
et épépiné
> 2 cuill. à soupe de concentré
de tomate
> 50 cl de bouillon de volaille
> 6 saucisses de porc
> sel et poivre noir du moulin

Faites tremper les haricots blancs et noirs toute la nuit dans une grande casserole d'eau. Égouttez-les, puis faites-les bouillir 10 minutes dans de l'eau. Rincez et égouttez de nouveau.

Disposez les lanières de bacon au fond de la mijoteuse. Couvrez avec les quartiers d'oignon, l'ail, les rondelles de carotte, les feuilles de laurier, la moitié de l'origan et le piment. Salez et poivrez. Versez les haricots.

Délayez le concentré de tomate dans le bouillon de volaille, puis versez le mélange dans la mijoteuse. Poivrez et faites cuire 6 heures à chaleur vive.

Ajoutez les saucisses et prolongez la cuisson de 1 heure 30.

Remuez et vérifiez l'assaisonnement. Parsemez le ragoût de haricots du reste d'origan et servez.

POITRINE DE PORC
AUX LÉGUMES
ET AUX LENTILLES

POUR **6 personnes**
PRÉPARATION : **20 min**
CUISSON : **5 h**

> 1 kg de poitrine de porc
> 1 oignon
> 4 clous de girofle
> 1 grosse carotte coupée
en morceaux
> 200 g de navets ou de rutabagas
coupés en morceaux
> 100 g de blanc de poireau coupé
en grosses rondelles
> 1 panais coupé en morceaux
> 1 gousse d'ail
> 1 bouquet garni
> 2 feuilles de laurier
> 6 baies de genièvre pilées
> 350 g de lentilles vertes du Puy
> 2 cuill. à soupe de persil plat ciselé
> sel et poivre du moulin

Coupez la poitrine de porc en tranches épaisses.
Piquez l'oignon avec les clous de girofle.

Mettez la poitrine de porc dans la mijoteuse avec l'oignon
et le reste des ingrédients, sauf les lentilles et le persil.
Remuez soigneusement, puis mouillez avec un peu d'eau.
Faites cuire pendant 4 heures à chaleur vive.

Rincez les lentilles à l'eau courante, puis ajoutez-les dans
la mijoteuse. Prolongez la cuisson de 1 heure.

Égouttez le contenu de la mijoteuse dans une passoire,
jetez l'oignon, puis remettez le tout dans la mijoteuse.

Poivrez généreusement et salez, au besoin. Servez la poitrine
de porc aux légumes parsemée de persil plat.

JAMBALAYA

POUR **4 personnes**
PRÉPARATION : **30 min**
CUISSON : **3 h**

> 4 tomates
> 1/2 cuill. à café de safran
> 1 oignon rouge émincé
> 3 tranches de bacon dégraissées et hachées
> 2 chorizos coupés en biais en rondelles de 1 cm d'épaisseur
> 1 petit poivron rouge épépiné et émincé
> 1 petit poivron vert épépiné et émincé
> 2 gousses d'ail finement hachées
> 1 ou 2 cuill. à café de piment jalapeño épépiné et finement haché (voir NOTES)
> 1 cuill. à café de paprika fumé
> 3 cuill. à café d'épices cajun (dans les épiceries fines, voir NOTES)
> 400 g de riz précuit à grains longs, rincé
> 25 cl de bière
> 50 cl de bouillon de volaille
> 2 blancs de poulet
> 16 gambas crues

Taillez une croix à la base de chaque tomate. Faites-les tremper 30 secondes dans de l'eau bouillante, dans un saladier résistant à la chaleur. Rafraîchissez-les dans de l'eau froide, égouttez-les et pelez-les à partir de la croix. Coupez les tomates en quatre et réservez.

Faites infuser le safran pendant 10 minutes avec 1 cuillerée à soupe d'eau chaude, dans un petit saladier.

Réunissez dans la mijoteuse l'oignon, le bacon, les rondelles de chorizo, le poivron rouge, le poivron vert, l'ail, le piment, le paprika, les épices cajun, le riz précuit, la bière et le bouillon de volaille. Ajoutez les tomates et le safran avec le liquide de trempage. Laissez mijoter pendant 2 heures à chaleur douce, jusqu'à ce que le bouillon soit absorbé.

Préparez le poulet et les gambas : dégraissez le poulet, puis détaillez-le en lanières de 1,5 cm x 6 cm. Décortiquez les gambas en gardant la queue ; retirez la veine noire à partir de la tête.

Ajoutez le poulet et les gambas dans la mijoteuse, remuez et poursuivez la cuisson pendant 1 heure.

NOTES :
• Le *jambalaya* est une spécialité de La Nouvelle-Orléans, inspirée de la paella.
• Le piment jalapeño est une variété mexicaine de piment. Vert ou rouge, il est l'un des plus forts et épicés que l'on puisse trouver.
• Les épices cajun tiennent leur nom de la déformation du mot « acadien », qui désigne les Français installés en Louisiane, après 1755, où ils ont échangé leur culture gastronomique avec celle des créoles. Ce mélange détonnant de thym, oignon, ail, paprika, origan, poivre noir, moutarde blanche, piment fort, cumin et sel est propre à la cuisine de Louisiane.

CASSOULET
AUX DEUX VIANDES

POUR **4 personnes**
PRÉPARATION : **20 min**
CUISSON : **6 h à 8 h**

> 4 côtes de porc
dans le travers (600 g)
> 4 saucisses de bœuf ou d'agneau
> 6 échalotes pelées et hachées
> 3 ou 4 gousses d'ail hachées
> 1 carotte coupée en dés
> 1 branche de céleri coupée en dés
> 1/2 cuill. à café de paprika
> 1 cuill. à café de romarin séché
(ou 1 grosse branche
de romarin frais)
> 2 cuill. à soupe de concentré
de tomate
> 400 g de tomates concassées
en conserve
> 4 cuill. à soupe de vin blanc
> 800 g de haricots blancs
en conserve
> 1 petite poignée de persil
plat ciselé
> sel et poivre noir du moulin

Dégraissez les côtes de porc avant de les couper chacune en trois. Partagez les saucisses en deux.

Mettez les côtes de porc et les saucisses dans la mijoteuse avec les échalotes, l'ail, ainsi que les dés de carotte et de céleri. Saupoudrez de paprika et de romarin (ou ajoutez la branche de romarin). Salez et poivrez.

Mélangez le concentré de tomate avec les tomates concassées et le vin blanc, puis versez la préparation dans la mijoteuse. Ajoutez les haricots blancs préalablement égouttés et rincés.

Laissez mijoter de 6 à 8 heures à chaleur douce.

Retirez éventuellement la branche de romarin, puis servez le cassoulet parsemé de persil plat.

RAGOÛT DE PORC CHINOIS

POUR **4 personnes**
PRÉPARATION : **20 min**
CUISSON : **3 h environ**

> 500 g de filet de porc
> 15 g de champignons chinois séchés et émincés (voir NOTES p. 28)
> 300 g de riz à grains longs
> 1 $\frac{1}{2}$ cuill. à soupe de sauce hoisin (voir NOTE p. 48)
> 2 cuill. à café de gingembre frais râpé
> 3 gousses d'ail pilées
> 1 bâton de cannelle
> 2 gousses d'anis étoilé
> 2 cuill. à soupe de sauce soja foncée
> 1 cuill. à soupe de sauce soja claire
> 2 cuill. à soupe de vin de riz chinois (voir NOTE p. 172)
> 50 cl de bouillon de volaille
> 140 g de champignons de paille en conserve, rincés et égouttés (voir NOTES)
> 125 g de pousses de bambou en conserve, égouttées et émincées (voir NOTES)
> lanières d'oignon blanc

> certains de ces ingrédients se trouvent dans les épiceries asiatiques.

Coupez le porc en cubes de 2 cm de côté. Mettez ceux-ci dans la mijoteuse avec les champignons chinois séchés, le riz, la sauce hoisin, le gingembre, l'ail, le bâton de cannelle, l'anis étoilé, les 2 sauces soja, le vin de riz chinois, le bouillon de volaille, les champignons de paille et les pousses de bambou.

Laissez mijoter pendant 3 heures environ à chaleur douce, jusqu'à ce que le liquide soit absorbé.

Servez le ragoût de porc chinois parsemé de lanières d'oignon et accompagné de légumes verts asiatiques (chou chinois, pak-choï, brocoli chinois, etc.).

NOTES :

• Les champignons de paille sont de petits champignons fermes, au goût léger de moisissure, qui poussent sur la paille de riz. En Occident, ils sont commercialisés en conserve.

• Cultivées en Asie et récoltées en hiver alors qu'elles atteignent environ 15 centimètres, les pousses de bambou, tendres et croquantes, sont consommées comme légume. En Europe, on les trouve conditionnées en conserve.

BŒUF À LA MEXICAINE

POUR **6 personnes**
PRÉPARATION : **30 min**
CUISSON : **6 h**

> 800 g de bœuf dans le paleron
> 800 g de tomates concassées
en conserve
> 1 poivron rouge épépiné
et coupé en dés
> 110 g de champignons de Paris
finement hachés
> 2 oignons hachés
> 2 gousses d'ail pilées
> 4 piments verts moyennement
forts, épépinés et finement hachés
+ un peu pour l'assaisonnement
(facultatif)
> 2 cuill. à café de cumin en poudre
> 1/2 cuill. à café de cannelle
en poudre
> 1 cuill. à café de sucre en poudre
> 2 feuilles de laurier
> 20 cl de bouillon de bœuf
> 1 grosse poignée de coriandre
> 400 g de haricots rouges en
conserve, égouttés et rincés
> 25 g de chocolat noir amer râpé
> 1 avocat mûr et ferme
> 1/2 oignon rouge haché
> 250 g de crème fraîche
> sel du moulin

Dégraissez le bœuf, puis coupez-le en cubes. Mettez ceux-ci dans la mijoteuse avec les tomates concassées, les dés de poivron, les champignons de Paris, les oignons, l'ail, les piments verts, le cumin, la cannelle, le sucre en poudre et les feuilles de laurier. Mouillez avec le bouillon de bœuf et laissez mijoter pendant 6 heures à chaleur douce.

Ajoutez la moitié de la coriandre, les haricots rouges et le chocolat amer, puis mélangez. Salez et ajoutez, éventuellement, un peu de piment haché, puis laissez chauffer 5 minutes supplémentaires.

Coupez l'avocat en petits morceaux, puis mélangez-les avec l'oignon rouge et le reste de coriandre.

Dressez le ragoût dans des assiettes individuelles, puis garnissez chacune de 1 cuillerée de crème fraîche et 1 cuillerée de préparation à l'avocat.

BOULETTES DE VIANDE TURQUES AU RIZ

POUR **4 à 6 personnes**
PRÉPARATION : **30 min**
CUISSON : **4 h**

> 500 g de bœuf haché
> 1/2 cuill. à café de piment de la Jamaïque
> 1 cuill. à café de cannelle en poudre
> 2 cuill. à café de cumin en poudre
> 1 cuill. à café de coriandre en poudre
> 330 g de riz précuit à grains courts
> 40 cl de bouillon de volaille
> 400 g de tomates concassées en conserve
> 35 g de pistaches grillées
> 2 cuill. à soupe de raisins secs
> 2 cuill. à soupe de coriandre ciselée
> sel et poivre noir du moulin

Mettez le bœuf haché dans un saladier. Ajoutez le piment de la Jamaïque, 1/2 cuillerée à café de cannelle, 1 cuillerée à café de cumin et 1/2 cuillerée à café de coriandre. Salez et poivrez. Mélangez intimement avec les mains, puis façonnez des boulettes.

Déposez les boulettes dans la mijoteuse avec le reste des épices, le riz précuit, le bouillon de volaille et les tomates concassées. Faites cuire pendant 4 heures à chaleur vive.

Servez les boulettes turques parsemées de pistaches, de raisins secs et de coriandre.

AGNEAU AU ROMARIN ET AUX LENTILLES

POUR **6 personnes**
PRÉPARATION : **20 min**
CUISSON : **5 h**

> 1 gigot d'agneau désossé de 1 kg
> 1 oignon finement émincé
> 2 gousses d'ail pilées
> 1 petite carotte coupée en dés
> 2 cuill. à café de gingembre frais haché
> 2 cuill. à café de feuilles de romarin
> 50 cl de fond d'agneau (ou de bouillon de volaille)
> 185 g de lentilles vertes ou brunes
> 1 cuill. à soupe de cassonade
> 2 cuill. à café de vinaigre balsamique
> branches de romarin
> sel et poivre noir du moulin

Dégraissez l'agneau, puis coupez-le en cubes de 4 cm de côté. Mettez ceux-ci dans la mijoteuse avec l'oignon, l'ail, les dés de carotte, le gingembre, les feuilles de romarin, le fond d'agneau (ou le bouillon de volaille) et les lentilles. Faites cuire pendant 4 heures à chaleur vive.

Ajoutez la cassonade et le vinaigre balsamique, puis poursuivez la cuisson pendant 1 heure.

Salez et poivrez. Servez l'agneau aux lentilles décoré de branches de romarin.

HARIRA

POUR **6 personnes**
PRÉPARATION : **25 min**
CUISSON : **5 h 30**

> 500 g d'épaule d'agneau désossée
> 1 oignon haché
> 2 gousses d'ail pilées
> 1 $\frac{1}{2}$ cuill. à soupe de cumin
en poudre
> 2 cuill. à café de paprika
> 1/2 cuill. à café de girofle
en poudre
> 1 feuille de laurier
> 75 cl de bouillon de volaille
> 500 g de coulis de tomates
> 600 g de pois chiches
en conserve, égouttés et rincés
> 200 g de riz précuit à grains longs
> 2 grosses poignées de coriandre
ciselée

Dégraissez l'agneau, puis coupez-le en cubes de taille moyenne. Mettez ceux-ci dans la mijoteuse avec l'oignon, l'ail, le cumin, le paprika, le girofle, la feuille de laurier, le bouillon de volaille, 50 cl d'eau et le coulis de tomates. Laissez mijoter pendant 5 heures à chaleur douce.

Ajoutez les pois chiches et le riz précuit, puis prolongez la cuisson de 30 minutes.

Servez la *harira* parsemée de coriandre.

NOTE : Très appréciée des Marocains, la *harira* est le plat que l'on consomme à la tombée de la nuit pendant le jeûne du ramadan. Avec ou sans riz, mais toujours garni de viande et parfumé à la coriandre, ce ragoût est traditionnellement servi accompagné de pâtisseries très sucrées, de dattes et de fruits secs.

AGNEAU
AUX HARICOTS BLANCS

POUR **4 personnes**
PRÉPARATION : **15 min**
CUISSON : **4 h 15 min environ**

> 1 épaule d'agneau désossée de 1 kg
> 2 carottes coupées en dés
> 2 gros oignons hachés
> 2 gousses d'ail non pelées
> 1 bouquet garni
> 10 cl de vin rouge
> 10 cl de bouillon de volaille
> 400 g de haricots blancs
en conserve, égouttés et rincés
> sel et poivre noir du moulin

Enroulez de la ficelle autour de l'agneau pour former un rôti. Frottez toute la surface avec du sel et du poivre.

Mettez l'agneau dans la mijoteuse avec les dés de carotte, les oignons, l'ail, le bouquet garni, le vin rouge et le bouillon de volaille. Faites cuire pendant 4 heures à chaleur vive.

Sortez l'agneau de la mijoteuse, couvrez et laissez reposer 10 minutes. Jetez le bouquet garni. Dégraissez le liquide de la mijoteuse avant d'ajouter les haricots blancs. Prolongez la cuisson de 10 à 15 minutes à découvert, jusqu'à ce que la sauce épaississe. Salez et poivrez.

Découpez l'agneau en tranches et dressez celles-ci sur un plat de service, avec les haricots disposés tout autour et arrosés de sauce.

AGNEAU ÉPICÉ
AUX LENTILLES CORAIL

POUR **4 personnes**
PRÉPARATION : **30 min**
CUISSON : **4 à 6 h**

> 2 cuill. à café de cumin en poudre
> 1 cuill. à café de coriandre en poudre
> 1/2 cuill. à café de curcuma
> 1 pincée de piment en poudre
> 750 g de gigot ou d'épaule d'agneau désossés
> 1 gros oignon coupé en dés
> 1 carotte coupée en dés
> 2 branches de céleri coupées en dés (avec quelques feuilles)
> 125 g de haricots verts épluchés et coupés en tronçons de 4 cm de long
> 1 cuill. à soupe de gingembre frais râpé
> 2 gousses d'ail hachées
> 50 cl de bouillon de bœuf (ou d'eau)
> 250 g de coulis de tomates (ou de sauce tomate)
> 1 cuill. à soupe de jus de citron
> 200 g de lentilles corail
> 1 petite poignée de feuilles de coriandre ciselées
> sel et poivre du moulin

Mélangez dans un grand saladier le cumin, la coriandre, le curcuma et le piment.

Dégraissez l'agneau, puis coupez-le en cubes de 2 cm de côté. Mettez ceux-ci dans le mélange d'épices et remuez soigneusement pour bien les enrober. Ajoutez les dés d'oignon, de carotte et de céleri, ainsi que les haricots verts, le gingembre et l'ail, puis mélangez intimement.

Réunissez dans la mijoteuse l'agneau, les légumes, le bouillon de bœuf, le coulis de tomates, le jus de citron et les lentilles corail. Salez et poivrez, puis faites cuire de 4 à 6 heures à chaleur vive. Le liquide épaississant durant la cuisson, allongez-le au besoin avec un peu de bouillon ou d'eau.

Servez l'agneau épicé parsemé de coriandre et accompagné de riz basmati ou de pains plats chauds.

JARRETS D'AGNEAU À L'ORGE ET AUX LÉGUMES-RACINES

POUR **4 personnes**
PRÉPARATION : **30 min**
TREMPAGE : **8 à 12 h**
CUISSON : **8 à 10 h**

> 165 g d'orge perlé
> 1 oignon haché
> 3 gousses d'ail pilées
> 1 grosse carotte coupée en morceaux de 4 cm de long
> 1 gros panais coupé en morceaux de 4 cm de long
> 1 rutabaga (ou 1 navet) coupé en morceaux de 4 cm de long
> 4 jarrets d'agneau dégraissés (1,2 kg environ)
> 1 cuill. à café d'origan séché
> 800 g de tomates concassées en conserve
> 2 cuill. à soupe de concentré de tomate
> 10 cl de vin blanc (ou d'eau)
> 1 branche de romarin + quelques petites pour le décor
> sel et poivre du moulin

Faites tremper l'orge perlé au moins 8 heures (si possible toute la nuit) dans une grande quantité d'eau. Égouttez-le et mettez-le dans la mijoteuse.

Couvrez l'orge perlé avec l'oignon et l'ail, ainsi que les morceaux de carotte, de panais et de rutabaga. Déposez les jarrets d'agneau dessus, sans les superposer. Ajoutez l'origan, les tomates concassées mélangées au concentré de tomate et au vin blanc, ainsi que la branche de romarin. Salez et poivrez.

Laissez mijoter de 8 à 10 heures à chaleur douce. Retirez la branche de romarin et dégraissez le liquide.

Servez les jarrets d'agneau disposés sur l'orge perlé et les légumes mijotés et décorés de petites branches de romarin.

AGNEAU À L'IRANIENNE

POUR **4 à 6 personnes**
PRÉPARATION : **30 min**
CUISSON : **4 à 6 h**

> 750 g de gigot ou d'épaule
d'agneau désossés
> 1 cuill. à café de cannelle
en poudre
> 1 cuill. à café de piment
de la Jamaïque (ou quatre-épices)
> 1 cuill. à café de muscade râpée
> 1 cuill. à café de sel
> 1 gros oignon haché
> 2 gousses d'ail hachées
> 200 g d'aubergine coupée
en rondelles de 2 cm d'épaisseur
> 1 carotte coupée en dés
> 1 courgette coupée en dés
> 400 g de tomates concassées
en conserve
> 5 cl de jus de citron
> 1 cuill. à soupe de concentré
de tomate
> 400 g de pois chiches
en conserve, égouttés et rincés
> 90 g de raisins secs
> 60 g d'amandes effilées, grillées
> 1 petite poignée de menthe
> poivre noir du moulin

Dégraissez l'agneau, puis coupez-le en cubes de 2 cm de côté. Mettez ceux-ci dans la mijoteuse et saupoudrez-les de cannelle, de piment de la Jamaïque, de muscade, de sel et de poivre noir du moulin. Mélangez intimement avant d'ajouter l'oignon, l'ail, les rondelles d'aubergine, ainsi que les dés de carotte et de courgette.

Mélangez les tomates concassées, le jus de citron, le concentré de tomate, puis les pois chiches et les raisins secs. Remuez et laissez mijoter de 4 à 6 heures.

Servez l'agneau à l'iranienne parsemé d'amandes grillées et de feuilles de menthe dans des bols individuels et accompagné de riz basmati et de yaourt.

AGNEAU BIRYANI

Pour 6 personnes
PRÉPARATION : **25 min**
MARINADE : **12h**
CUISSON : **7 h**

> 1 kg de gigot ou d'épaule
d'agneau désossés
> 1 morceau de gingembre frais
de 8 cm de long, râpé
> 2 gousses d'ail pilées
> 2 cuill. à soupe de garam masala
(dans les épiceries indiennes,
voir NOTE p. 170)
> 1/2 cuill. à café de piment
en poudre
> 1/2 cuill. à café de curcuma
> 2 piments verts finement hachés
> 250 g de yaourt à la grecque
> 2 oignons finement émincés
> 1 pincée de sel
> 1/2 cuill. à café de safran
> 2 cuill. à soupe de lait chaud
> 400 g de riz basmati précuit
> 40 g de beurre

Dégraissez l'agneau, puis coupez-le en cubes de 3 cm de côté. Mettez ceux-ci dans un saladier avec le gingembre, l'ail, le garam masala, le piment en poudre, le curcuma, les piments verts et le yaourt à la grecque. Mélangez soigneusement pour les enrober. Couvrez et laissez mariner toute la nuit au réfrigérateur.

Réunissez dans la mijoteuse l'agneau et la marinade, les oignons et le sel. Laissez mijoter 6 heures à chaleur douce.

Faites infuser le safran pendant 10 minutes dans le lait chaud.

Étalez le riz régulièrement sur l'agneau, dans la mijoteuse. Parsemez-le de noisettes de beurre et arrosez le tout de lait safrané. Prolongez la cuisson de 1 heure.

Servez l'agneau biryani dans des bols individuels.

NOTE : Plat de riz basmati aromatisé au safran, cuit avec des épices, le biryani est une spécialité du nord de l'Inde.

INDEX

Cet index rassemble toutes
les recettes classées par ordre
alphabétique et par nom
de **produit**.

S

T

V-Y-Z

TABLEAU INDICATIF DE CUISSON

Thermostat	1	2	3	4	5	6	7	8	9	10
Température	30 °C	60 °C	90 °C	120 °C	150 °C	180 °C	210 °C	240 °C	270 °C	300 °C

Ces indications sont valables pour un four électrique traditionnel. Pour les fours à gaz ou électriques à chaleur tournante, reportez-vous à la notice du fabricant.

TABLE DES ÉQUIVALENCES FRANCE – CANADA

Poids	55 g	100 g	150 g	200 g	250 g	300 g	500 g	750 g	1 kg
	2 onces	3,5 onces	5 onces	7 onces	9 onces	11 onces	18 onces	27 onces	36 onces

Ces équivalences permettent de calculer le poids à quelques grammes près (en réalité, 1 once = 28 g).

Capacités	5 cl	10 cl	15 cl	20 cl	25 cl	50 cl	75 cl
	2 onces	3,5 onces	5 onces	7 onces	9 onces	17 onces	26 onces

Pour faciliter la mesure des capacités, une tasse équivaut ici à 25 cl (en réalité, 1 tasse = 8 onces = 23 cl).

CAPACITÉS ET CONTENANCES

Capacités		Poids
1 cuill. à café	0,5 cl	3 g de fécule / 5 g de sel fin ou de sucre en poudre
1 cuill. à dessert	1 cl	
1 cuill. à soupe	1,5 cl	5 g de fromage râpé / 8 g de cacao en poudre, de café ou de chapelure / 12 g de farine, de riz, de semoule, de crème fraîche ou d'huile / 15 g de sel fin, de sucre en poudre ou de beurre
1 tasse à café	10 cl	
1 tasse à thé	de 12 à 15 cl	
1 bol	35 cl	225 g de farine / 260 g de cacao en poudre ou de raisins secs / 300 g de riz / 320 g de sucre en poudre
1 verre à liqueur	de 2,5 à 3 cl	
1 verre à bordeaux	de 10 à 12 cl	
1 grand verre à eau	25 cl	150 g de farine / 170 g de cacao en poudre / 190 g de semoule / 200 g de riz / 220 g de sucre en poudre
1 bouteille de vin	75 cl	

Imprimé en Espagne par Gráficas Estella, Estella
Dépôt légal : janvier 2010
303993 / 01-11009921 novembre 2009